Op zoek naar Violet Park

OP ZOEK NAAR VIOLET PARK

JENNY VALENTINE

Vertaald door Jenny de Jonge

moon

De vertaler ontving voor deze vertaling een werkbeurs van de Stichting Fonds voor de Letteren.

Tekst © 2007 Jenny Valentine
Oorspronkelijke titel *Finding Violet Park*
Nederlandse vertaling © 2008 Jenny de Jonge en Moon,
Amsterdam
Omslag © 2008 Natascha Stenvert
Zetwerk ZetSpiegel, Best

ISBN 978 90 488 0081 0
NUR 284

Moon is een imprint van Dutch Media Uitgevers bv.

Mixed Sources
Productgroep uit goed beheerde
bossen, gecontroleerde bronnen
en gerecycled materiaal.
www.fsc.org Cert no. CU-COC-802528
© 1996 Forest Stewardship Council
FSC

Uitgeverij Moon drukt haar boeken
op papier met het FSC-keurmerk.
Zo helpen we oerbossen te behouden.

Voor Alex en zijn *Tardis Heart*

EEN

De taxicentrale was in een achterstraatje met kinderkopjes en aan twee kanten lage huisjes. Daar heb ik Violet Park voor het eerst ontmoet, of wat er nog van haar over was. Ernaast was een consultatiebureau – nogal een chique naam voor een gebouw met een krakkemikkige bruine deur zonder fatsoenlijke deurkruk en een opgeplakt houten huisnummer in de vorm van clowntjes. De 3 van nummer 13 was een w op zijn kant en ik vond het een beetje zielig maar ook wel leuk.

Normaal neem ik nooit een taxi, maar het was vijf uur 's ochtends, ik was te moe om te gaan lopen en ik had net een briefje van tien in mijn jaszak gevonden. Ik liep naar binnen voor een rit naar huis en had prompt de vreemdste ontmoeting van mijn leven.

Achteraf bleek dat die tien pond helemaal niet van mij was. Mijn zus Mercy had de avond ervoor – zonder te vragen – mijn jas geleend, ook al staan jongenskleren haar niet en was hij zeker twee maten te groot. Ze was razend op me vanwege het geld. Ik zei dat ze het misschien maar als huur moest beschouwen, en waar moest het heen met de wereld als mensen maar gewoon pakten wat niet van hen was?

Het is gek als je over zulke belangrijke momenten in je

7

leven gaat nadenken, toevallige gebeurtenissen die op den duur enorm belangrijk blijken te zijn. Soms, als ik niet weet welke weg ik zal nemen, bijvoorbeeld naar de bioscoop in Camden, krijg ik het gevoel dat als ik misschien de verkeerde route neem, er iets vreselijks zal gebeuren op een plek waar ik nooit zou zijn terechtgekomen als ik de goeie weg had genomen. Als je op die manier over dingen nadenkt, wordt kiezen echt heel moeilijk, omdat ik me altijd afvraag wat er gebeurt met alles wat je besluit niet te kiezen. Net als mam, die zegt dat ze zo gauw ze met pap was getrouwd, wist dat ze de fout van haar leven had gemaakt en dat ze, toen ze door het middenpad terugliep, haar ongetrouwde ik praktisch onder de boog van de kerkdeur buiten in het zonlicht kon zien ronddansen, zo vrij als een vogeltje, en dat ze wel had kunnen kotsen. Ik zie mam graag als zo'n schuimtaart voor me met haar haar helemaal bol en plakkerig, terwijl ze zich aan paps arm vasthoudt en het gevoel heeft dat ze op de loper moet kotsen. Ik moet er altijd om lachen.

Hoe dan ook, Mercy besloot mijn jas te lenen en vergat er voor te kiezen om het geld eruit te halen en ik verkoos om de hele nacht door te brengen bij mijn vriend Ed in het chique huis van zijn moeder (Miss Denemarken 1997, met spraakles) en daarna koos ik ervoor om een taxi te nemen.

Het was donker in het straatje, blauwzwart met een oranje weerschijn van de straatverlichting op de hoofdweg, vlak voor het licht begon te worden, en de tijd stond als het ware stil. Mijn schoenen maakten zo'n kabaal op die kinderkopjes dat ik me begon te verbeelden dat ik terug was in de tijd, in een of andere victoriaanse hoerenbuurt. Toen ik de taxicentrale binnenstapte, was het daar modern en behoorlijk lelijk. Een van de drie tl-buizen aan het plafond flikkerde, maar met de andere twee was niks mis en het helle licht deed pijn aan mijn ogen en maakte dat iedereen er grauw, uitgezakt en ziek uitzag. Er waren geen andere klanten, alleen verveelde slaperige chauffeurs die op de volgende vracht wachtten, de ene sigaret na de andere opstaken of kranten van drie dagen oud lazen. Aan een muur hing een ingelijste landkaart van Cyprus en er was zo'n gaskachel waarvan ze zeggen dat ze draagbaar zijn, met een enorme fles die je aan de achterkant moet bevestigen. Wij hadden er zo een in de jeugdherberg toen we vorig jaar met schoolreis naar de Brecon Beacons gingen. Die dingen zijn niet draagbaar.

De chef zat een paar treden hoger in zo'n klein hokje met een raam dat op de rest uitkeek en je zag meteen dat hij de baas was van het spul. Hij had een sigaar in zijn mond terwijl hij praatte en de rook kwam in zijn ogen, waardoor hij die moest dichtknijpen, en de sigaar wipte op en neer onder het praten en je kon zien dat hij dacht dat hij Tony Soprano was of zo.

Iedereen keek meteen naar mij toen ik binnenkwam, omdat ik voor wat afleiding zorgde in hun saaie nachtdienst en plotseling voelde ik me heel licht in mijn hoofd en werd ik vanbinnen koud en dan weer warm. Ik ben best lang voor mijn leeftijd, maar omdat ze zo vanuit hun stoel naar me opkeken kreeg ik het gevoel dat ik een vreemd soort reus was. De enige die niet naar me keek was Tony Soprano, dus ik richtte me zo'n beetje tot hem en glimlachte zodat ze allemaal zagen dat ik niets kwaads in de zin had en niet uit was op rottigheid. Hij zat op die sigaar te kauwen en hem met zijn tanden van de ene mondhoek naar de andere te bewegen en er zo aan te paffen dat zijn hokje vol sigarenrook kwam te staan. Ik dacht dat als ik daar maar lang genoeg zou blijven staan, hij misschien wel uit het zicht zou verdwijnen, zoals bij een onbedoelde goocheltruc. De rook drong door de barsten en kieren van zijn verkeerstoren daar boven en ik werd er misselijk van, dus zocht ik, nog steeds glimlachend, naar iets anders om naar te kijken.

Toen zag ik Violet voor het eerst. Ik zeg 'Violet', maar nu overdrijf ik, omdat ik toen haar naam nog niet eens wist en wat ik feitelijk zag was een urn met haar erin.

De urn was daar het enige wat de moeite waard was om naar te kijken. Misschien kwam het doordat ik al de hele nacht op was, misschien moest ik me ergens op focussen om niet om te vallen, weet ik veel, ik zag een urn. Halverwege een muur met houten lambrisering, type blokhut, zat een plank met een paar tijdschriften erop en een kop-en-schotel die zo uit een parochiezaal of uit een ziekenhuis leken te komen. Daarnaast stond die urn, waarvan ik toen niet besefte dat het een urn was, maar waarvan ik dacht dat het gewoon een soort wedstrijdbeker was of zo'n ding met koekjes erin of zoiets. Hij was van generfd hout met een diepe glans die het licht naar mij terugkaatste. Ik keek ernaar en probeerde erachter te komen wat het nou precies was. Ik merkte niet dat iemand wat tegen me zei, tot de sigarenlucht ineens vol in mijn neus kwam en ik in de gaten kreeg dat de dikke chef zijn deur had opengedaan omdat bonzen op het raam niet had geholpen.

'Je komt toch niet voor haar?' vroeg hij en ik snapte het

niet, maar de anderen allemaal wel, want ze begonnen ineens te lachen.

Toen moest ik ook lachen omdat het zo gek was dat ze allemaal lachten en ik zei: 'Voor wie?'

De sigaar dook bij elke lettergreep richting zijn kin en hij knikte naar de plank: 'De oude dame in de doos.'

Ik bleef lachen maar ik weet echt niet meer of ik het nou leuk vond of niet. Ik schudde mijn hoofd en omdat ik niet wist wat ik anders moest zeggen zei ik: 'Nee, ik wil een taxi naar Queens Crescent, alstublieft', en een chauffeur die Ali heette stond op en ik volgde hem naar zijn auto buiten. Achter hem aan liep ik het straatje uit naar de veel bredere hoofdstraat.

Ik vroeg aan Ali wat hij wist over de dode vrouw op de plank. Hij zei dat ze er al was voor hij daar was komen werken en dat was anderhalf jaar geleden. Iemand had haar in een taxi achtergelaten en was haar nooit op komen halen en als ik het hele verhaal wilde weten moest ik het aan de baas vragen wiens naam ik meteen weer vergat omdat hij voor mij altijd Tony Soprano is gebleven.

De zon kwam op en met het licht erachter zagen de gebouwen eruit als hun eigen schaduw en ik dacht: hoe kan het nou iemands eindbestemming zijn om voorgoed op een plank in een taxicentrale te blijven staan? Ik had wel eens gehoord van het vagevuur, de plek waar je moet wachten als hemel en hel niet zeker weten of ze je wel willen, maar ik had nooit gedacht dat het betekende dat je voorgoed zou blijven steken in een urn bij Taxi Apollo. Ik kon de kwestie niet van me af zetten en voelde hem naar een donker hoekje in mijn schedel graven, voor later.

Nu ik erover nadenk komt het allemaal weer neer op het maken van keuzes, snap je? Mijn betere ik stapte die ochtend niet meteen in de taxi. Mijn betere ik stormde terug naar binnen en redde Violet uit de sigarenrook en van de mobilofoon en de oploskoffie en de gesprekken van de mannen die beter hadden moeten weten dan zulke taal uit te slaan in het bijzijn van een oude dame. En nadat ik haar uit het voorgeborchte van de taxicentrale had bevrijd, verloste mijn betere ik haar uit haar houten kistje en strooide haar bij zonsopgang gul in alle richtingen uit over de top van Primrose Hill.

Maar mijn echte ik, de teleurstellende ik, die stapte bij Ali in de auto, gaf hem mijn adres en liet haar daar achter.

Ik heet Lucas Swain en ik was bijna zestien toen dit allemaal begon, de nacht dat ik zo laat bij Ed bleef hangen en Violet ontmoette in haar urn. Een paar dingen over mezelf voor het geval je die wilt weten. Ik heb een moeder die Nick heet en (ergens) een vader die Pete heet en een grote zus, Mercy, de jassenleenster over wie ik het had. Ze zit nu zo'n beetje in de piek van een sarcastische fase die al zo'n zes jaar duurt. Ik heb ook een broertje dat Jed heet.

Even iets over Jed. Op de dagen dat ik hem naar school breng, verzint hij altijd iets geks om aan me te vertellen. Hij vertelt het me altijd op precies dezelfde plek: het laatste stukje nadat we de hoek zijn omgeslagen naar Princess Road. Je weet altijd of hij van tevoren iets heeft bedacht, omdat hij dan bijna niet kan wachten tot hij er is, en op de dagen dat hij moeite heeft om iets te bedenken, treuzelt hij en komen we uiteindelijk te laat, wat we geen van beiden erg vinden. De mop is de manier waarop mijn broer afscheid neemt.

Het andere goeie van Jed is dat hij pap nooit heeft meegemaakt en dat hem dat ook niet kan schelen. Net voordat Jed werd geboren, verdween pap, dus hebben ze elkaar nooit gezien. Jed weet, wat pap betreft, nergens van.

Wat pap betreft is er veel wat we niet weten. Mam geeft op hem af omdat hij ons in de steek heeft gelaten, en dan luister ik half en ik knik omdat dat haar een beter gevoel geeft. Maar ik ben bang dat ze niet helemaal eerlijk is, want als hij door een bus is overreden of in een brandend gebouw zat opgesloten of uit een vliegtuig is gevallen, hoe had hij dat ons dan moeten laten weten?

Ik heb ooit een film gezien over een buitenaards wezen dat in menselijke gedaante op aarde in een psychiatrische inrichting terechtkwam. Hij wist iedereen fantastische dingen te vertellen en bleef de doktoren maar uitleggen wie hij was en waar hij vandaan kwam en wat hij te bieden had aan geheimen uit het heelal en zo, maar ze dachten gewoon dat hij gek was en spoten hem plat en hij is daar tot zijn dood gebleven. Misschien is pap ook zoiets overkomen. Misschien wil hij al vijf jaar niks liever dan ons opbellen en mag hij daar waar hij opgesloten zit niet bellen, en zit hij gewoon te wachten tot wij hem vinden. Dat soort gedachten, en soortgelijke dingen, komen minstens één keer per dag bij me op.

Wat ik zei: het niet weten is het ergste.

13

TWEE

Ali zette me thuis af met zijn taxi en ik ging meteen naar bed, ook al was iedereen net van plan om op te staan. Mam liep een paar keer in haar pyjama langs mijn kamer met die je-was-te-laat-thuis-blik van haar, maar ik deed net of ik het niet merkte.

Ik lag daar een eeuwigheid maar kon niet in slaap komen. Jed had het zaterdagochtendprogramma op tv te hard staan. Mam zong mee met iets stoms op de radio. Mercy had mijn jas gevonden op de trap en sloeg met deuren en ging tekeer over het geld dat ik had gebruikt om naar huis te komen, maar daar kwam het niet door. Dat is allemaal heel normaal voor een zaterdag en meestal slaap ik daar dwars doorheen. Steeds als ik mijn ogen dichtdeed stond die urn daar op zijn armoedige plank me boos aan te kijken, waar ik onrustig van werd, zodat ik mijn ogen weer opendeed. Het was een heel gek gevoel om verwijten te krijgen van een urn.

Ik stond op, trok mijn kleren weer aan en ging een eindje wandelen op de hei. Het was een prachtige dag met een strakblauwe lucht, herfstkleuren en een fris windje, waardoor ik vergat dat ik niet had geslapen, maar het ontspande me niet. Dat deel van de hei zit vol met enorm grote

kraaien. Ze hebben reusachtige poten en terwijl ze rondlopen, kijken ze naar die grote poten alsof ze niet kunnen
geloven dat die zo groot zijn. Ze zien eruit als acteurs die
met hun handen op hun rug dat stuk repeteren uit het to-
neelstuk waar de koning zegt: 'Dit is de winter van onze
onvrede...'

Ik bleef een tijdje naar ze kijken en liep toen naar de
top van de vliegerheuvel en at een appel. Vanaf daar kun
je praktisch heel Londen zien: de Sint-Paul, de Telecom-
toren, de gebouwen op Canary Wharf en de dokken. Vlak
onder me liepen een paar hardlopers op de sintelbaan en
een heleboel mensen met honden en kleine kinderen,
maar niet veel oude dames, en daarom begon ik me af te
vragen wat al die oude mensen in Londen eigenlijk uit-
voerden met hun tijd.

Wat had de oude dame in de taxicentrale eigenlijk gedaan
voor ze de hele dag zat te niksen in die urn?

Was ze 's morgens ook vroeg, maar dan echt vroeg, opgestaan, zoals de meeste oude mensen? Mam zegt dat dat
komt door hun arbeidsethos en dat dat ook de reden is
waarom oude mannen pakken met dassen dragen in plaats
van een trainingsbroek, en waarom oude dames een halfuur voordat het opengaat in de rij staan voor het postkan-
toor en ze heel schone gordijnen hebben en zo. Maar betekent zo vroeg opstaan niet gewoon dat je meer tijd
overhebt om oud te zijn?

Voor die tijd had ik er nooit over nagedacht hoe het zou
voelen om bejaard te zijn. Op straat was ik gewoon om be-
jaarde mensen heen gezigzagd en had stiekem met mijn
vrienden gelachen om hun gekke haar en hoge taillebroe-

ken en de manier waarop ze bij kassa's de boel stonden te rekken omdat ze dan iemand hadden om mee te praten. Het ene moment had ik er nooit één seconde over nagedacht, en het volgende maakte ik me echt heel erg druk over de vraag hoe het was om oud te zijn en vast te zitten in Londen, waar iedereen sneller vooruitkwam dan jij en zelfs de meest simpele onderneming uiteindelijk de hele dag in beslag kon nemen.

Zij was het. Ik weet het gewoon. Het was mijn oude dame, de dooie in de urn.

Ik weet nog dat ik op die heuvel zat met achter me vliegers die door de lucht zoefden en dat de gedachte in me opkwam dat het best eens zou kunnen dat zij en ik een soort gesprek voerden. Een dode oude dame probeerde me vanaf haar plek op de plank wat bij te brengen over zestigplussers. Het gaf een goed gevoel, een haren-overeind-in-je-nek-gevoel, zoals wanneer je te gekke muziek hoort, of wanneer je high bent en naast je zit iemand op wie je stiekem verliefd bent. Ik verdacht mezelf ervan dat ik het verzon, maar dat maakte nauwelijks wat uit. Ik verzin zoveel belangrijke dingen, bijvoorbeeld dat ik onweerstaanbaar ben voor meisjes, of dat ik chagrijnig en mysterieus ben zoals mijn vader, of ik verzin wat mijn vader op een bepaald moment aan het doen is, op dit moment bijvoorbeeld.

DRIE

Ik nam een omweg naar huis zodat ik kon kijken naar wat er allemaal aan de hand was. We wonen in een fijne straat vind ik. Het is een marktstraat, elke dag groente en fruit, en op donderdag en zaterdag ander spul zoals verse vis en plumeaus en waardeloze kleren en spullen waarvan Mercy denkt dat ze allemaal gejat zijn. Op een keer viel een van die marktkerels en kwam toen bijna onder zijn eigen bestelbus, en Mercy meteen van: 'O, moet je kijken, hij is van een vrachtwagen gevallen', en gelachen dat ik heb.

Het stuk van de straat waar de markt is noemen mijn moeder en haar vriendinnen het 'foute' stuk. Ik weet niet wanneer mijn moeder zo'n snob is geworden wat foute en niet-foute dingen betreft. We wonen hier alleen maar omdat de vader en moeder van mijn vader medelijden met ons kregen toen hij verdween en we bij hen mochten intrekken, en daarna gingen zij naar een aanleunwoning om de hoek.

Daarvóór woonden we in een krot en toen trok ze nergens haar neus voor op.

Het andere interessante van onze straat is dat we aan een zogenoemde *crescent* wonen, een straat waar de huizen in een halve cirkel staan, maar voor zover ik kan zien staan ze gewoon in een rechte lijn.

We wonen in een heel pand, wat tegenwoordig zeldzaam is in dit deel van Londen. Er passen steeds meer mensen in steeds kleinere ruimtes, net als in New York. Mam heeft het dikwijls over de boel verkopen en weggaan uit Londen, naar een plek waar ze een heleboel meer kan krijgen voor haar geld. Volwassenen hebben het vaak over huizenprijzen en hoe ze de waarde van hun huis zouden kunnen verhogen als ze de keuken terracotta zouden verven en een massagedouche zouden laten installeren. Alsof ze nooit tevreden zijn met hoe het nu is en denken dat ze gelukkiger zullen zijn als de badkamer er anders uitziet. Ik snap niet waarom mam zich daar zo druk om maakt als ze toch nergens anders naartoe gaat.

Hoe ik dat weet?

Om te beginnen zou mam binnen vijf minuten gek worden op het platteland. Zelfs toen we voor een dagje naar Bath gingen om al die Romeinse troep te bekijken, bleef ze maar commentaar geven op hoe bekrompen en boers de mensen waren en dat niemand op het platteland enig 'ruimtelijk gevoel' had.

Jed zou zijn vrienden missen en Mercy zou compleet in woede uitbarsten en het huis uit gaan om op een eenkamerwoning te gaan hokken met haar vriendje, en ik zou ook niet zomaar meegaan.

Waarschijnlijk kun je ergens anders zelfs helemaal niet zoveel meer voor je geld krijgen, dat wordt je wijsgemaakt door makelaars omdat ze je huis in handen willen krijgen.

En als pap terugkomt moeten we hier zijn, anders vindt hij ons nooit.

Dat krijg je als er iemand verdwijnt. Hij zet je vast in de

tijd. Je kunt niks veranderen, niet radicaal, want dat is hetzelfde als de hoop opgeven. Ik ben ontzettend veranderd sinds hij weg is, ik ben misschien wel een meter gegroeid en ik scheer me bijna om de twee dagen en mijn haar is ook veel langer. Hij zou me misschien niet eens herkennen als hij aan de deur zou kloppen en ik opendeed, maar daar kan ik niks aan doen en ik ben absoluut tegen verandering van de rest voor het geval dat.

Mijn vader was behoorlijk cool. Op alle foto's die ik van hem heb gezien ziet hij er goed uit. Je ziet hem nergens met hoge hakken of met jasjes die twee maten te klein waren of met van die belachelijke bakkebaarden, zoals andere vaders. In een kamer vol fout geklede mensen leek hij de enige die echt cool was zonder er moeite voor te hoeven doen.

Nu draag ik de pakken en overhemden en zo van mijn vader omdat ze me bijna helemaal passen. Ik wilde niet dat mam ze weggooide, omdat ik hem elk moment terug verwachtte. En ik denk dat ik er best trots op ben dat ik nu groot genoeg ben, bijna net zo groot als pap was toen hij vertrok, met precies dezelfde schoenmaat (43,5), maar ik vind het ook vreselijk want al die tijd die ik nodig heb gehad om te groeien is hij niet terug geweest.

Mam heeft er een hekel aan als ik paps spullen draag. De eerste keer barstte ze in tranen uit. Ze zegt dat ik al genoeg op hem lijk van toen ze hem voor het eerst zag en ze heeft medelijden met het meisje dat verliefd op me wordt want zo leuk was het allemaal niet voor haar.

Maar mijn vader zag er niet alleen cool uit, hij was ook

cool. En hoeveel kleren ik ook van hem aantrek, hem zal ik nooit worden, of zelfs maar op hem lijken. Mijn vader was journalist. Ik herinner me hem als de man op feestjes bij wie mensen in de buurt wilden zijn, de man in wie ze geïnteresseerd waren. Ik lijk meer op degene van wie de mensen vergeten dat die er ook is.

Pap en mam zijn misschien wel verliefd op elkaar geweest voor ze gingen trouwen. Ik denk dat ze een geweldige tijd hebben gehad tot mam in verwachting raakte van Mercy. Iedereen viel over ze heen omdat ze het zonder ringen deden, dus trouwden ze netjes in de kerk voor de bobbel die Mercy zou worden zo groot was dat je het zag. Mam zegt dat het niet door Mercy kwam dat de boel werd verpest, omdat pap het leuk vond om vader te zijn. Het was het moeten trouwen waar hij van baalde, omdat hij er een hekel aan had om te doen wat hem gezegd werd.

Wat is dat toch dat mensen zo graag willen trouwen? Ik snap niet hoe iemand ooit ergens zo zeker van kan zijn. Ik kan niet kiezen hoe ik naar school zal gaan. Ik kan geen eten bestellen in een restaurant zonder dat ik de rest van de maaltijd zit te piekeren of ik goed gekozen heb. Ik denk niet dat het me ooit zal lukken. En met het voorbeeld dat ik heb, ons gezin dus (belangrijkste bewijsstuk: één grote leegte waar ooit een echtgenoot en een vader was), betwijfel ik of het wel de moeite waard is.

En hoe bestaat het dat als mam meteen na haar trouwen wist dat het een slecht idee was, ze niet zo slim was om dat een week, een dag, of zelfs maar tien minuten eerder te beseffen? Daar kan ik dus niet bij. En als ik dan zie wat mam er na al die jaren aan over heeft gehouden en haar hoor klagen dat ze zich niet eens kan herinneren dat ze van pap hield of dat ze kinderen wilde of wat dan ook, slaat het volgens mij allemaal nergens op.

Daarom ben ik vast van plan mijn ogen goed open te houden, zelfs als dat betekent dat ik nooit ergens voor zal kiezen.

VIER

Op maandag ging ik, in plaats van naar een dubbel uur aardrijkskunde en Frans, terug naar de taxicentrale om nog eens naar de urn te kijken. Er waren meer mensen op straat, in de hoofdstraat waren de winkels open en er waren nog wat achterhoedegevechten om de laatste parkeerplaatsen. Eigenlijk was het overdag een veel minder aantrekkelijke plek, maar het straatje zelf was redelijk rustig. Er was een vrouw die heen en weer liep en ze deed dat in een eigenaardig ritme, zoiets als vier stappen vooruit – stop – op de tenen – stop – drie stappen vooruit – stop, en als ze aan het eind van het straatje kwam, draaide ze om en begon weer van voren af aan.

Toen ik langsliep zei ze: 'Heb je misschien een sigaret voor me?' en ik schrok en zei: 'Nee', en haalde mijn handen uit mijn zakken om te laten zien dat ik er echt geen had. En dat was ook zo; ik mag dan misschien af en toe blowen, tabak zou ik nooit roken, want:

1. Je wordt er niet high van. Wat heb je eraan om verslaafd te zijn aan iets waaraan je doodgaat en wat je niet eens aan het lachen maakt of je een goed gevoel geeft of wat dan ook?

2. Je gaat er dood aan.

3. Het stinkt.

4. Sigaretten kosten op zich weinig, maar er zit een hoop belasting op die regelrecht naar de regering gaat, die er rijk van wordt. Dat betekent dat de mensen van wie je verwacht dat ze voor onze gezondheid en ons welzijn zorgen en de samenleving in stand helpen houden, winst maken op iets wat heel verslavend is waar je niet high van wordt en waaraan je doodgaat. Bovendien ben ik nog te jong om te stemmen, dus als het even kan, betaal ik liever geen belasting.

5. Mercy heeft over die tabaksgiganten verteld dat ze hun boeren uitbuiten en ze zo goed als niks betalen. Mercy's vriendje rookt American Spirit, sigaretten waar je een eerlijke prijs voor betaalt en die blijkbaar biologisch zijn, als je kunt accepteren dat er zoiets als een biologische sigaret bestaat.

6. Niet-biologische sigaretten bevatten ongeveer tweehonderdvijftig verschillende giftige stoffen waar je ook aan doodgaat.

Ik bleef een tijdje voor Taxi Apollo staan, met achter me de ijsberende vrouw, en probeerde te bedenken wat ik moest zeggen als ik naar binnen ging. Er hingen van die verticale lamellen voor het raam, zoals bij tandartsen en modieuze appartementen, het soort dat van geplastificeerd karton is gemaakt en met goedkope kettinkjes van kleine witte balletjes aan elkaar vastzit. De lamellen waren echt smerig, maar ik vond de manier waarop ze het zicht naar binnen in stukken verdeelden wel aardig, alsof iemand een foto van een taxicentrale uit een tijdschrift had gehaald en die in repen had geknipt. Als ik een stap naar rechts deed, zag ik de urn op de plank, en als ik weer een stap terug deed, verdween hij uit het zicht en zag ik iemand van opzij en de voorpagina's van twee verschillende kranten. De urn zag er, vergeleken met al het andere daar binnen, heel kostbaar uit, en volledig misplaatst.

Iedereen die op dat moment het straatje in was komen lopen had een vrouw gezien met een rare manier van lopen en een jongen die van het ene been op het andere wipte, en zo iemand zou waarschijnlijk meteen rechtsomkeert hebben gemaakt.

Zo gauw ik naar binnen liep, wist ik dat ik er van tevoren niet echt goed over had nagedacht. Ik had me er totaal niet op voorbereid. Ik kon het bloed in mijn oren horen suizen en kloppen. Om te beginnen had ik veel langer buiten gestaan dan ik me had gerealiseerd en daarmee wantrouwen gewekt. Tony Soprano stond al halverwege zijn trap. Of hij zich mij nou nog herinnerde van een paar avonden daarvoor of niet, hij had alle gelijk van de wereld als hij dacht dat hij met een mafkees te maken had. Ik bleef zo'n beetje staan aarzelen met een idiote glimlach op mijn gezicht. Trouwens, langsgaan bij de overblijfselen van een dode onbekende was niet het meest normale wat ik ooit had ondernomen.

Hij vroeg of ik een taxi wilde en ik zei nee en toen hij zich weer omdraaide, veranderde ik van gedachten en zei ja en hij lachte en vroeg of ik wel geld bij me had, wat niet zo was. Toen zei hij dat ik moest maken dat ik wegkwam, wat niet het beste moment was om hem naar de dode dame te vragen. Toen liep hij recht op me af en bleek hij jonger dan hij eruitzag: grauw met vale wallen onder zijn ogen en stinkend naar sigaren.

Dit is, voor zover ik het me kan herinneren, het gesprek dat ik met Tony Soprano voerde:

Ik: Waarom hebt u de as van een dode dame?

TS: Wat gaat jou dat aan?

Ik: Is ze van u?

TS: Wat? (Kijkt naar collega's.) Wat is dat voor een vraag!

Ik: Ik bedoel, hebt u haar gekend? Is ze familie van u of zo?

TS: Nee.

Ik: Wat gaat u met haar doen?

TS: Wie? Dat gaat je niks aan, mannetje.

Ik: Nou...

TS: Als ze haar komen ophalen doen ze maar wat ze willen.

Ik: Wie?

TS: Haar familie, degene die haar heeft laten liggen, wie dacht je?

Ik: Komen die?

TS: Geen idee. Jij blijft ervan af. Zet dat maar meteen uit je hoofd.

Ik: Hoe heet ze?

TS: (Blijft me vijf tellen streng aankijken en zucht.) Als ik het je vertel, donder je dan op?

Ik: Ja.

TS: (Pakt de urn en laat me het metalen plaatje opzij

zien, waarop staat: VIOLET PARK 1927-2002.) En nou opgedonderd.

Of er een lichtje aanging in mijn hoofd.

Ik heb ooit in een strip iets gelezen over tegenwoordigheid van geest, over de manier waarop je hersenen je altijd een stap voor zijn, ook al denk je dat jij de baas bent. Het is nogal ingewikkeld, maar ik denk dat ik het begrijp en het gaat zo:

Eerst moet je het verschil weten tussen actie en reactie.

Actie is een bal gooien en reactie is wegduiken zodra je beseft dat de bal op jou af komt.

Je hersenen zenden voortdurend signalen uit, zeggen dat je aan je neus moet krabben of moet lachen of dat je de ene voet voor de andere moet zetten als je loopt. Maar sommige dingen, zoals met je ogen knipperen of een hete geroosterde boterham uit je handen laten vallen, doe je zonder dat je van tevoren wist dat je ze ging doen, omdat je ze niet zag aankomen. Op zo'n moment bewijzen je hersenen dat ze alles al weten voordat jij het weet, omdat ze een signaal moeten sturen en dat kost tijd.

Zoiets heet tegenwoordigheid van geest: als je hersenen aan je lichaam vertellen wat het moet doen voor jij zelfs maar weet dat je het moet doen.

En de reden dat ik aan die tegenwoordigheid van geest moest denken was dat toen ik Violets naam las, ik besefte dat ik die al kende voor TS me hem liet zien, ook al kon dat eigenlijk niet. Ik hoorde de naam in mijn hoofd net voor ik hem zag staan, zoals bij een film waarvan het geluid niet synchroon loopt en je hoort wat de mensen zeggen even voor je hun mond ziet bewegen. Op dat moment was ik er nogal van onder de indruk. Ik moest denken aan het gevoel van een gesprek-met-een-dode-bejaarde op de heuvel en ik wist zeker dat de enige manier waarop ik haar naam had kunnen weten was dat zij me die al had verteld.

Hij vloog rond in mijn hoofd als een opgesloten duif in een gebouw, hij fladderde heen en weer door de ruimte en botste tegen de zijkanten aan. V-I-O-L-E-T. Een flinke, sterke naam, een naam van een kleur, en die heb je niet veel, zacht en mooi en ouderwets, de perfecte naam voor een dode oude dame.

Ik kon me maar net inhouden om niet de urn te grijpen en ervandoor te gaan. Het voelde op dat moment alsof ik haar enige hoop was. Ze was al lang genoeg dood om te weten dat niemand haar zou komen halen. Ik word nog steeds misselijk als ik eraan denk dat ze daar al sinds mijn elfde vastzat, net zo lang als mijn vader is vertrokken, waar dan ook naartoe.

Tony Soprano zette Violet terug op haar plank. Ik had beloofd dat ik weg zou gaan en hij zou me daaraan houden. Terwijl ik naar buiten liep, maakte ik om kalm te blijven een lijstje in mijn hoofd met alle goede redenen om bevriend te raken met een dode dame in een urn:

1. Een dode oude dame zou nooit met haar oordeel klaarstaan of me de les lezen zoals iedere andere vrouw op aarde.

2. Als ik besloot om haar na te trekken zou ze wel eens de coolste, begaafdste, moedigste persoon kunnen

zijn van wie ik ooit had gehoord, en ik kon haar min of meer leren kennen zonder al het gedoe dat je krijgt wanneer ze echt zou bestaan.

3. Ik zou haar uiteindelijk gaan redden en zoiets had ik nog nooit voor iemand gedaan, en daarom kwam ze mij eigenlijk ook best goed uit.

4. Van een dode oude dame zou je gemakkelijk kunnen houden, omdat ze niet meer kon vertrekken, tenminste niet méér dan ze al had gedaan.

Ik weet het, ik ben me ervan bewust, dat een jongen van mijn leeftijd meer bezig zou moeten zijn met het mee naar huis nemen van een levend meisje dan van een dode oude dame. En om die dingen gaf ik ook wel, om meisjes en vriendinnetjes en seks en zo, zo abnormaal ben ik ook weer niet. Maar Violet was gewoon mijn nieuwste vriendin aan het worden en zat de hele tijd vooraan in mijn hoofd, zoals dat gaat met nieuwe vriendinnen.

Als je erover nadenkt, is het feit dat een persoon dood is geen enkel beletsel om erachter te komen wat voor iemand het was. De helft van de mensen over wie we op school leren is al eeuwen dood. Mensen schrijven hele boeken over William Blake en Hendrik de Achtste en Marilyn Monroe, zonder hen ooit gezien te hebben, en toch klinken ze alsof ze weten waar ze het over hebben.

Ik ontmoette Violet na haar dood. Maar het weerhield me er niet van om haar te leren kennen. En wat ik steeds maar wil bewijzen is dat ik niet zo gestoord ben als ik klink.

VIJF

Van alle plekken waar ik na mijn dood zou willen zijn is Taxi Apollo wel de laatste. Ik weet nog niet wat de eerste is, vooral omdat ik daar te jong voor ben, maar mijn drie fijnste plekken ooit waar ik rustig op mezelf kan zijn (wat, als je erover nadenkt, een goede beschrijving is van dood-zijn), zijn tot nu toe de volgende:

1. Primrose Hill – over de top en weer naar beneden, naar de rustige kant. Je hebt daar geen grandioos uit-zicht zoals op de top, maar het is er rustig en om de een of andere reden komt er bijna nooit iemand, zelfs niet op dagen dat het park overvol is. Bovendien is het de plek waar Bob, de oude vriend van mijn vader, een boom heeft geplant om te vieren dat Jed was ge-boren.

2. Sint-Pancraskerk – ik hou niet van kerkhoven om lekker te kunnen griezelen (al kan het me niet sche-len als iemand dat wel doet) omdat ik me eigenlijk, met uitzondering van Violet, niet zo op mijn gemak voel bij dode mensen. Maar ik hou van Sint-Pancras. Mary Shelley, die *Frankenstein* heeft geschreven, lag daar vroeger begraven naast haar moeder, die bij haar

33

geboorte is gestorven, maar later zijn ze geloof ik naar Sint-Albans verhuisd. Weer zoiets wat je niet zou verwachten als je dood bent.

De kerk staat op een lage heuvel en vanaf de weg kun je de doden of het mooie van de plek niet echt zien, tot je er middenop staat. Er staat daar een boom, de Hardy-boom, waar een heleboel oude grafzerken (geen lijken) zo'n beetje tegenaan leunen, allemaal door elkaar. Hij heet de Hardy-boom naar Thomas Hardy, de beroemde schrijver die het plaatsje Wessex heeft bedacht en droevige verhalen verzon over mooie melkmeisjes en andere pessimistische mensen van het platteland. Hij is daar niet begraven en was nog niet eens beroemd toen hij met de Hardy-boom te maken had. Ik geloof dat hij eigenlijk ingenieur was en de leiding had bij het vrijmaken van de weg voor de spoorlijn naar Midden-Engeland. Het kerkhof moest inkrimpen om ruimte te maken en hij moest alle lijken op een kleinere plek bij elkaar persen. Misschien is hij ook wel degene die Mary Shelley en haar moeder heeft verhuisd. Het moet toen een beetje een knoeiboel zijn geworden of zo, want de grafzerken van sommige mensen die zijn verhuisd zijn gewoon tegen de boom aan blijven staan.

Hoe groot zou de boom toen zijn geweest? Want nu is hij best oud en ik vraag me af hoe groot Jeds boom op Primrose Hill zal zijn over tweehonderd jaar en of iemand ooit die boom zal ontdekken en hem de Swains-boom zal noemen, omdat Jed misschien ooit ergens beroemd om wordt.

3. De City op zondag. Pap nam me altijd mee. Er is niemand. Je kunt rondlopen en net doen of je in een sciencefictionserie zit, bijvoorbeeld *De Triffids komen* of *48 Hours Later*. Alle moderne gebouwen ruiken naar geld en naar slechte smaak, en je kunt het krankzinnige gedoe dat zich daar de hele week afspeelt nog voelen, bijna alsof de geest ervan op zondag nog aanwezig is, alsof de plek gewoon uitgeput is van het razende tempo van alles. En er zijn ook van die heel oude gedeeltes, het staat allemaal door elkaar gehusseld. Je kunt voor zo'n supermoderne glazen doos staan met je rug naar de oudste pub van Londen, en dan loopt er om de hoek een echt heel oud steegje, Wardrobe Street, Kleerkastenstraat, waar ze rond zeventienhonderd-en-nog-wat ook echt kleerkasten maakten, en het lijkt alsof je van de ene straat naar de andere door de tijd reist, en dat is helemaal te gek.

Ik wist niet wat Violets speciale plekjes waren geweest, waar zij graag kwam, waar zij uiteindelijk terecht had willen komen, en het is triest als niemand dat van iemand weet. Voor ik doodga zal ik precieze instructies achterlaten over waar ik de rest van mijn tijd wil doorbrengen. Ik hoop dat ik niet zo totaal alleen op de wereld zal zijn dat niemand eraan zal denken om me op te halen na mijn begrafenis. Het is net als met die verhalen in de plaatselijke krant over mensen die overlijden, waarna wekenlang niemand iets merkt tot ze beginnen te stinken en dan herinneren hun buren zich plotseling dat ze ze in geen eeuwen hebben gezien. En altijd als ik nadenk over mensen die helemaal in hun eentje leven of doodgaan, moet ik uiteindelijk aan mijn vader denken en vraag me af of hij in zijn eentje is gestorven en of hij aan ons gedacht heeft toen hij stierf of dat hij nog leeft en nu voortdurend aan ons denkt.

Ik ben in mijn leven nog maar op twee begrafenissen geweest. De eerste was die van mijn opa – de vader van mijn moeder – en ik weet er niks meer van omdat ik nog maar twee was of zo, maar mam zegt dat ik de hele tijd heb rondgekropen en geblaft als een hond.

De tweede was van een meisje uit mijn klas, Angelique, die doodging toen we in de zesde zaten. Ik geloof dat het in de paasvakantie was en dat zij met haar vader en moeder naar Spanje ging of zoiets en dat ze in de douche is gestorven aan koolmonoxidevergiftiging. Ze vlogen naar huis en de hele klas ging naar haar begrafenis. Dat wilden we allemaal, omdat ze erg populair was en heel aardig en iedereen er kapot van was dat ze nooit meer terugkwam.

Ze lag in een kist van bamboe of riet of iets dergelijks, net een mooie Angelique-vormige mand, bedekt met roze bloesem, en aan elke kant hadden ze van die zilveren emmers neergezet met zand en bloemen. Als je binnenkwam, kreeg je een kaars om aan te steken en in zo'n emmer te zetten, zodat er misschien wel honderd kaarsen om haar heen stonden. Het licht had iets mysterieus en sprankelends.

Toen de priester sprak over Angeliques lichaam aan de hemel toevertrouwen, leek het of de bloemen in een paar van die emmers op precies hetzelfde moment in de fik vlogen en je hoorde iedereen in de kerk schrikken, alsof het een teken was of zoiets, en niemand wilde het vuur doven. Toen Angeliques vader naar de kist toe liep om die de kerk uit te dragen leunde hij ertegenaan, alsof hij haar omhelsde, en daar had ik het toen heel moeilijk mee.

Na de begrafenis, bij Angelique thuis, hadden we een soort kringgesprek waarbij we allemaal iets aardigs over Angelique zeiden of een grappig verhaal over haar vertelden.

Je moet op school dikwijls in een kring zitten als er iets ergs gebeurt, of soms gewoon omdat ze dat willen. Het kan goed zijn of alleen maar een hoop gelul, dat hangt ervan af, maar dat kringgesprek bij Angelique was zo'n beetje het liefste en ontroerendste wat ik ooit heb meegemaakt. Iedereen had iets wat hij echt wilde zeggen, en Angeliques ouders huilden en lachten tegelijk en je kon zien dat ze nog jaren op die verhalen zouden teren.

Ik betwijfel of Violets begrafenis veel heeft voorgesteld, omdat ze als eregast in een taxi is achtergelaten. Ik betwijfel of ze voor haar een kringgesprek hebben gehouden.

Als we mijn vader ooit vinden en hij is dood, zal ik de grootste begrafenis regelen die je ooit hebt gezien en ik zal er persoonlijk voor zorgen dat de bloemen in de fik vliegen. We draaien de beste muziek en iedereen die hij ooit heeft gekend en die hij leuk vond zal erbij zijn en zijn ogen uit zijn hoofd huilen en echt aardige dingen over hem zeggen. En daarna, bij ons thuis, houden we de beste dodenwake en wil er niemand weg. Ze zullen voor mam zorgen en erop letten dat ze niets tekortkomt en haar elke week opbellen, in plaats van dat ze niks durven zeggen en haar nooit opbellen omdat er geen lijk is en ze het nogal druk hebben met hun werk en omdat ze eigenlijk met hem bevriend waren en niet met haar.

* * *

In het begin toen pap vermist werd, was er enorm veel over te doen. Niet alleen mam die rondrende en haar haar uit haar hoofd trok (achtenhalve maand zwanger) en de politie die de hele tijd aan de deur kwam, en Mercy die gilde en met deuren sloeg en met iedereen die wilde het bed in dook. Een tijdlang was iedereen geïnteresseerd en was hij volop in het nieuws – wekenlang in elke krant en op tv. Overal zag je die ene foto van hem, eentje waar niemand van ons nu nog naar kan kijken, ten eerste omdat hij ons eraan herinnert dat alles toen fout ging, en ten tweede omdat pap er zo verdomd blij op kijkt, en dat moet dus voor de show zijn geweest.

Ik weet nog precies het moment dat mam besefte dat hij echt weg was en niet ergens wat langer dan normaal zijn roes lag uit te slapen, of zonder te bellen nog op kantoor tegen een deadline aan zat te hikken, wat vaak genoeg gebeurde. Ik zie nog voor me hoe ze de telefoon opnam en over haar enorme buik wreef, met dat rare glimlachje dat ze praktisch altijd had toen ze zwanger was van Jed, en op dat moment helemaal instortte. Ik zat aan de keukentafel te wachten tot pap thuiskwam, zodat er nog een man in huis zou zijn, en zat naar haar te kijken. Ze was heel mooi op het moment dat ze de telefoon opnam – in mijn herinnering straalt er zo'n beetje een gloed van haar af en is het licht zacht en zo – en tegen de tijd dat ze hem weer neerlegde, misschien tweeënhalve minuut later, was ze oud en grijs en zag ze eruit of ze moest overgeven.

(Wat ze ook deed, de hele nacht en de dag daarop, en ze moest naar het ziekenhuis omdat ze niets binnenhield en niet had geslapen en iedereen maakte zich zorgen om de baby.)

Het telefoontje was van een vriend van pap bij *The Times*, Nigel Moon, die zei dat de politie onze auto had aangetroffen in een wei ergens in Hampshire en of pap zijn paspoort thuis lag, of was er een kans dat hij dat bij zich had, en dat hij vond dat ze het moest weten. Hij bereikte haar vijf minuten eerder dan de politie, want terwijl zij in de wc beneden stond over te geven werd er op de deur geklopt en was het de politie. (Paps paspoort lag boven in een la naast dat van mam.)

En na al dat enorme gedoe volgde er niets. Binnen een paar weken vonden de mensen er niets meer aan of ze vergaten het en geleidelijk verdwenen ze en lieten ons over aan onze eigen chaos. Mam kreeg Jed en samen huilden ze veel in haar kamer, Mercy zei wel drie maanden lang geen woord, en ik liep verloren rond en raakte in heel wat vechtpartijen verzeild.

Je krijgt blijvend een stempel opgedrukt als iemand in je familie op die manier vermist raakt. Er blijft een groot vraagteken hangen, een lijk in de kast, een luchtje. In het begin, toen iedereen alles wilde weten en geïnteresseerd was, was niemand eigenlijk bezorgd om ons, ze waren alleen maar uit op iets ranzigs, op paps geheime zonden, op de barsten in ons gezin die vast tot grote scheuren waren uitgegroeid en hem hadden opgeslokt.

Had hij een relatie? Was hij betrokken bij iets illegaals? Was hij vermoord? Hadden wij het gedaan? Had hij zelfmoord gepleegd? Alles bleef in een kringetje ronddraaien, als een hond die achter zijn eigen staart aan zit, tot we de tv in de kast zetten, de batterijen uit de radio haalden, de krant niet meer inkeken, niet meer reageerden op de bel en nergens meer naartoe gingen. Tegenwoordig verschijnt er geregeld iets over pap in de krant, meestal in het weekend, in de bijlage of weggestopt in terugblikrubrieken of wat dan ook. Ik denk dat de naam Pete Swain op een soort reservelijst van vermiste personen staat, want zo nu en dan duikt hij op, samen met Lord Lucan en Richie Manic en Shergar, als een onderwerp voor schrijvers die niets hebben om over te schrijven. Op een bepaalde manier levert vermist zijn een goed verhaal op, wie je ook bent. Mam zegt dat journalisten niks liever hebben dan een vraag waar geen antwoord op is, omdat ze het dan nooit mis kunnen hebben en dat is goed voor hun imago. Ze zegt dat het allemaal aasgieren zijn die boven een oud lijk cirkelen, en ze weigert om met een van hen te praten, omdat ze ons allemaal in de steek hebben gelaten toen het spoor doodliep, ook al zaten sommigen van hen nog op school toen pap vermist werd en hoeven die zich nergens schuldig over te voelen.

Maar één van paps vrienden is na zijn vertrek met ons bevriend gebleven. Mercy zegt dat hij dat alleen maar deed omdat hij altijd al op mam viel en met haar naar bed wilde, maar volgens mij gebeuren er om die reden heel veel goede dingen en worden ze daar niet minder goed om. Hij is de vriend die een boom heeft geplant op Primrose Hill, omdat hij vond dat we niet mochten vergeten het te vieren, ook al was Jed op zo'n vreselijk moment geboren. Mam heeft hem daarna peetoom van Jed gemaakt.

Hij heet Bob Cutforth en pap en hij zijn samen bij een lokaal krantje of iets dergelijks begonnen. Een tijdlang was hij een van de belangrijke correspondenten voor de BBC en reisde hij de hele wereld over naar gevaarlijke gebieden en interviewde hij tirannen en moest hij wegduiken voor kogels. Maar toen bleek hij een ongelooflijk gestoorde alcoholist te zijn en verloor hij zijn baan en zijn vrouw, en nu woont hij op een eenkamerflat in Kilburn en heeft hij een uitkering en zit de hele dag in notitieboekjes te schrijven. Evengoed heeft hij nog niet één keer Jeds verjaardag vergeten.

ZES

Als ik bij zo'n opgeblazen reclamebureau in Soho zou werken en ik zat bij de afdeling Marktonderzoek, waar je mensen in groepen verdeelt volgens de broeken die ze aanhebben en of ze ooit vissticks uit de diepvries zullen kopen, dan zou ik mijn moeder als volgt omschrijven:

- LEEFTIJD: 35-45
- SEKSE: vrouwelijk
- LENGTE: 1,70 m
- GEWICHT: 50-60 kilo, dat hangt ervan af
- JAARINKOMEN: onder de 15.000 pond
- BEROEP: onderwijsassistente. Soms zegt ze dat ze een hele week lang alleen met volwassenen zou willen praten en geen neuzen zou willen afvegen, maar haar werktijden komen overeen met Jeds schooltijden en meestal vindt ze het wel leuk.
- BURGERLIJKE STAAT: getrouwd (uit elkaar gegroeid)
- MUZIEK: oude troep. Sommige nummers vind ik leuk, andere vind ik afgrijselijk.
- ONTSPANNING: wandelen op de hei, zwemmen in het Lido (alleen 's zomers), lezen, breien, leren naaien, yoga, als een bezetene schoonmaken.

43

Als ik voor een reclamebureau zou werken, zou ik waarschijnlijk niet erg opgewonden raken van iemand als mijn moeder. Misschien dat ik een paar advertenties voor badolie of schoonmaakproducten of haarverf bij haar in de bus zou laten gooien, maar ze heeft niet veel te besteden, dus zou ik er niet al te veel moeite voor doen.

Dat zou mijn grote fout zijn.

Mijn moeder koopt altijd van alles.

Als er een zogenaamd nieuw wonderproduct op tv komt, sluiten Mercy en ik er weddenschappen over af hoe lang het zal duren voor mam het koopt. Ons badkamerkastje zit barstensvol vierentwintig-uur-moisturizers, anti-rimpelcrèmes, cellulitebestrijders en haarverdikkingsmiddelen.

Mam zegt dat ze vroeger heel mooi was, maar dat het krijgen van drie kinderen en een afwezige echtgenoot haar uiterlijk hebben verwoest. Ze zegt dat het moeilijker is dan je denkt om er eerst goed uit te zien en later niet meer, en Mercy zegt dat ze eens zou moeten proberen om haar hele leven alleen maar lelijk te zijn en dat dat ook geen pretje is. Mam zegt dat Mercy een laag gevoel van eigenwaarde heeft. Als je het mij vraagt, teren de meeste meisjes op een laag gevoel van eigenwaarde, in plaats van op voedsel.

De hoofdoorzaak bij mijn moeder is dat ze ongelukkig is. Haar leven is niet geworden wat ze ervan had verwacht. Daar geeft ze natuurlijk vooral pap de schuld van, plus zijn oude vrienden en ons, en zichzelf.

Dat weet ik, niet omdat ze mij dat ooit heeft verteld, maar wel aan Bob Cutforth. Ze heeft hem van alles verteld.

Elke keer dat hij kwam eten werden ze samen dronken en luisterde ik aan de keukendeur, want wanneer mensen aangeschoten zijn praten ze over dingen waar ze het niet over hebben als ze nuchter zijn. Op een keer hoorde ik mam tegen Bob zeggen dat ze het hele laatste jaar dat ze samen met pap was had gehoopt dat hij van de aardbodem zou verdwijnen, omdat ze er niet meer tegen kon hoe het tussen hen tweeën ging. Ze zei dat ze verlost had willen zijn van de opdracht om van hem te houden, omdat hij het haar zo moeilijk maakte. Als ze fantaseerde dat ze in haar eentje was, bloeide ze op (mams eigen woorden) en deed ze alle dingen waarvan ze altijd zei dat het paps schuld was dat ze ermee was gestopt. Maar in werkelijkheid werd ze na zijn verdwijning minder dan daarvoor, niet méér.

Bij de herinnering aan dat gesprek is het net alsof ik er voor de eerste keer naar luister. Mijn rug voelt aan alsof hij op slot zit en ik hem nodig moet strekken, mijn maag is hol, ik luister naar mijn eigen ademhaling en naar de grote muurklok in de gang en staar naar de vegen en bladders verf op de keukendeur terwijl ik overweeg die in te trappen en mijn moeder een klap in haar gezicht te geven omdat ze mijn vader heeft weggewenst.

Ze blijven een tijdje stil en dan zegt Bob: 'Hij is niet om jou vertrokken, Nicky. Wat heb je nou helemaal gedaan? Je hield van hem en je hield van zijn kinderen. Je hebt niets verkeerds gedaan.'

Toen begon mam te huilen, maar zachtjes, en ik ging naar boven naar mijn kamer en dacht eraan hoe het was om haar te zijn en vroeg me af of zij en Bob uiteindelijk met elkaar zouden trouwen.

Een andere keer, toen ik gewoon bij hen aan tafel zat, zei ze tegen Bob: 'Ik was niet zo'n goede echtgenote als jullie allemaal dachten, weet je dat wel?' En toen ging ze door over wat een hekel ze eraan had gehad om thuis te moeten zitten met de kinderen en dat ze de pest had gehad aan paps geweldige baan en hem daar voortdurend voor had laten boeten en dat ze krankzinnig jaloers was geweest en altijd had gedacht dat hij vreemdging en dat ze eigenlijk nooit gelukkig was geweest in wat later de gelukkigste tijd van haar leven zou blijken te zijn. Bob zei dat ze zulke dingen niet mocht zeggen waar ik bij was en zij zei: 'Lucas is bijna dertien en zijn vader is ervandoor, dus is hij nu de man in huis.' Toen woelde ze met haar hand door mijn haar en zei dat ik naar bed moest, alsof ik een kind van acht was, wat mij irriteerde omdat ik een man was als het haar uitkwam en een kind als het haar niet uitkwam.

Ze zit nu beter in haar vel dan toen.

Maar waar ik me bij mam nog steeds aan stoor is dat de mensen meestal medelijden met haar hebben en zij dat toelaat. Mam vindt dat ze is beetgenomen, wat ook een manier is om te zeggen dat haar afwezige echtgenoot, haar drie kinderen en het feit dat ze geen eenentwintig meer is niet haar schuld zijn. Ik zou haar willen vragen of de vrouwen in bijvoorbeeld Soedan en Palestina of Kosovo zich net zo druk maken over gezichtscrème en zwangerschapsstriemen en een leven zonder man in huis, maar tot nu toe heb ik het niet gevraagd, en wie weet, misschien doen ze dat wel.

Soms wordt mam kwaad op de verkeerde mensen – waarmee ik de mensen bedoel die er nog zijn, in tegenstelling tot degene die weg is. Op sommige dagen weet ik

46

met één blik dat ik geen fatsoenlijk woord uit haar zal krijgen. Het geluid van onze stem alleen al is genoeg om haar met haar ogen te laten rollen en afkeurend te laten mompelen en net te laten doen alsof we ten onrechte haar gedachten in beslag nemen en niet evenveel bestaans- en spreekrecht hebben als zij. Op zo'n slechte dag weet je dat ze zichzelf heeft voorgeprogrammeerd om overal gewoon 'NEE' op te antwoorden, bijna nog voor ze de vraag heeft gehoord, wat wil zeggen dat ze zichzelf tekortdoet als we vragen of ze boodschappen nodig heeft, of aanbieden het eten op te zetten.

Wat ik denk op dat soort dagen is dit:

Misschien is het leven voor mam niet geworden wat ze ervan had verwacht, maar dat is niet onze schuld. Tenzij het feit dat we geboren zijn onze schuld is, en als je zo begint kun je nooit iets goed doen, hoe erg je ook je best doet.

ZEVEN

Dat Violet me waardering voor oude mensen bijbracht, had als bijkomend voordeel dat ik mijn oma veel beter heb leren kennen. Mijn oma heet Phlox – nog zo'n perfecte naam voor een oude dame, en weer een bloemennaam. Daarvoor had ik niet echt veel tijd voor haar, omdat ze oud was en een kunstgebit had dat niet meer paste omdat ze was gekrompen, en vel had als een stukje verfrommelde grijze stof dat in de punt van je jaszak zit, en nogal een uitgesproken mening over zo'n beetje van alles. Mijn opa en zij wonen om de hoek in een aanleunwoning. Phlox zegt dat er niets neerbuigenders bestaat, niets wat haar meer schrik aanjaagt dan overal om je heen kozijnen in een primaire kleur. Ze zegt dat het een teken is dat degene die daar woont niet langer serieus genomen wordt. We moeten goed onthouden dat zij hun grote huis hebben opgegeven en hiernaartoe zijn verhuisd zodat wij in hun huis konden. Phlox wil heel graag dat we dat niet vergeten.

Phlox is heel druk en ondernemend, ze praat overal over mee en heeft hele theorieën over dingen waar ze nauwelijks wat vanaf weet, zoals junglemuziek en PlayStation en internetdating. Ze vloekt de hele tijd maar zegt de vloek zelf nooit hardop, ze articuleert hem zonder geluid met een heel verwrongen gezicht, waarbij haar gebit zachtjes tegen haar tandvlees klikt, haar tong tegen haar verhemelte plakt en dan loslaat, zodat vloeken verandert in een vreemd zompig klikkend geluid. Heel indrukwekkend.

Phlox is voetbalfanaat, al jaren. Maar gek genoeg heeft ze het in al die tijd voor elkaar gekregen om niets over de regels te leren. Een keer zei ze dat voetballers extra punten zouden moeten krijgen voor het raken van de paal of de lat, omdat dat veel moeilijker is dan een echt doelpunt scoren. Ze is fan van Tottenham omdat ze in Enfield is opgegroeid en haar vader in een fanfarekorps speelde in White Heart Lane. Als je het mij vraagt, kun je nooit een goede reden hebben om een fan van de Spurs te zijn, omdat ik voor Arsenal ben en mijn vader ook. Phlox zegt dat pap als kind alleen maar supporter van Arsenal was om haar dwars te zitten. Opa, die wel voetbal kijkt maar het ook kan laten, rolt dan met zijn ogen en zegt: 'Ze vochten altijd als kat en hond als *Grandstand* op stond.' Ze vindt het heerlijk om op Arsenal af te geven en meestal geeft dat niet, omdat wij bovenaan staan in de competitie en zij steeds verder wegzakken.

Phlox was de eerste aan wie ik over Violet heb verteld. Ik moest aan iemand kwijt dat een dode dame tegen me praatte en ik had een paar goede redenen om haar in vertrouwen te nemen. Om te beginnen had Violet ervoor gezorgd dat ik meer belangstelling kreeg voor de persoon achter Phlox' oude omhulsel. Bovendien bedacht ik dat Violet het zou waarderen om een andere oude dame in de buurt te hebben na al die taxichauffeurs. En ik wist dat Phlox ervoor in zou zijn, omdat ze altijd over occulte dingen las en van mediums en zo hield en zelfs naar een me-

dium toe is gegaan om erachter te komen of pap was 'overgegaan', dus wist ik dat ze het idee om met doden te communiceren nooit af zou wijzen.

Behalve Violet en de London Derby is dat natuurlijk ook
wat mijn oma en ik met elkaar gemeen hebben: mijn
vader, haar zoon. 'Onze *missing link*,' noemt ze hem. Mam
zegt dat, hoe erg het ook voor ons is dat pap zonder waar-
schuwing is vertrokken, we dat met tien zouden moeten
vermenigvuldigen voor Phlox, omdat zij zijn moeder is en
moeders verwachten niet dat hun kinderen eerder sterven
dan zij. Dus vindt Phlox het geweldig als ik langskom, op
de eerste plaats omdat ik haar lieveling ben (puur vanwege het feit dat ik op haar zoon lijk en zijn kleren draag)
en op de tweede plaats omdat ze over pap kan praten tot
ze blauw ziet en ik aandachtig blijf luisteren.

Ik denk niet dat ik in dit opzicht veel aan opa heb. Hij
heet Norman en heeft in de oorlog in Noord-Afrika gevoch-
ten: vrachtwagens met munitie door de woestijn gereden
en goedkope sigaretten gerookt en het in zijn broek gedaan. Norman is echt een heel aardige vent en hij was
altijd een heel goede opa, maar tegenwoordig heeft hij nergens meer de ballen verstand van. Hij heeft namelijk van
die kleine beroertes gehad en elke keer dat hij er een heeft
(en je merkt het niet eens als dat gebeurt waar je bij staat,
zo klein zijn ze) wordt er een stukje geheugen gewist. Op
sommige dagen is hij beter dan op andere, maar Phlox
wordt er gek van omdat ze nooit weet waar ze met hem
aan toe is, zegt ze. Het ene moment doet hij heel roman-
tisch en het volgende moment denkt hij dat ze de hulp is
die even de boel komt stofzuigen.

Phlox heeft een hond die Jack (Russell) heet en soms heb ik geen idee of ze het over de hond of over opa heeft.

'Hij loopt me de hele dag voor mijn voeten en zijn adem stinkt vreselijk.' (Hond)

'Hij is al drie dagen niet geweest. Volgens mij moet hij een flinke wandeling gaan maken.' (Norman)

Op goede dagen herinnert Norman zich dat ik Lucas ben en op slechte dagen denkt hij dat ik mijn vader ben. Phlox en ik hebben gewoon afgesproken dat we het op slechte dagen door de vingers zien omdat hij er blij van wordt. Phlox zegt dat ze zou willen dat ze ook een beroerte kreeg, zodat ze kon vergeten dat haar enige kind het nodig vond om zijn gezin in de steek te laten en ervandoor te gaan. Dan bet ze haar gerimpelde ogen met een verfrommeld zakdoekje en zegt: 'Gggdvrr, laten we nog maar een plakje cake nemen.'

De keren dat ik een stoel pak en een gesprek voer met Norman is hij dolblij, omdat hij er meestal geen woord tussen krijgt, maar eigenlijk best wat te vertellen heeft. Als je hem en Phlox voor het eerst ziet, is Phlox degene die de meeste aandacht trekt omdat ze zo levendig, scherp en energiek is en overal voor in, maar na een tijdje besef je dat Norman meer te vertellen heeft en dat als je even wat tijd voor hem uittrekt hij heel boeiend kan zijn, en goed op de hoogte is van een heleboel dingen.

Iemand die erg op Normans gezelschap is gesteld, is Jed. Jed is te jong om te beseffen dat Norman dingen vergeet. Hij denkt dat Norman het gewoon voor de lol doet en er een ongelooflijke kick van krijgt. Hij vindt Norman de allerleukste man van de wereld. Ze zitten samen in de keuken koekjes te eten, zetten vliegtuigen in elkaar met Meccano en lachen zich slap om oude Laurel-en-Hardy-films. Ze mogen ook samen de hond uitlaten, wat voor hen beiden de enige keer is dat ze zonder begeleiding van een volwassene ergens naartoe mogen. Jed zegt dat het met opa net als met vriendjes van school is, maar dan leuker, omdat opa veel meer weet en heel goed kan vertellen.

Een tijd geleden had ik het in mijn hoofd gezet dat Norman iets heel belangrijks wist over waar pap uithing, maar dat hij het ons niet kon vertellen omdat hij het vergeten was. Ik was ervan overtuigd dat alles wat hij zei, hoe onbetekenend ook, eigenlijk een verborgen aanwijzing was en dat als ik de code kon kraken ik mijn vader zou kunnen redden. Soms als hij tegen me praat duim ik nog steeds dat hem zomaar een adres of telefoonnummer zal ontglippen, of een laatste boodschap, maar zo gaan die dingen niet.

Toen ik Phlox over Violet vertelde, vertelde ik het gewoon zoals ik gedaan zou hebben als ik een normaal iemand, of in elk geval een levend iemand, had ontmoet. Violet stond toen nog steeds op de plank bij Taxi Apollo.

Ik geloof dat ik zei: 'Oma, ik heb een tijdje terug iemand leren kennen die jij heel leuk zou vinden', en Phlox zei iets vinnigs als: 'Nou, als je haar maar niet zwanger maakt', en ik verslikte me bijna in mijn koekje bij de gedachte en zei: 'Nee, nee, het is een oudere dame, net als jij!'

'Hoe oud?' vroeg Phlox. 'Waar heb je een oude dame ontmoet? Wat moet je met een oude vriendin?'

Ik zei: 'Ze is in de zeventig, net als jij, en ze is niet mijn vriendin en ik heb haar afgelopen vrijdagnacht ontmoet bij een taxicentrale onderweg naar huis.'

Phlox tuitte streng haar lippen en zoog lucht naar binnen alsof ze een onzichtbare sigaret rookte die niet lekker was en zei: 'Mercy zei dat je haar geld hebt gepikt, vuile krent die je bent.'

'Nou, nee dus,' zei ik en ze wuifde het weg alsof ze wilde zeggen: laten we het daar niet over hebben, en zei: 'Wat moet een vrouw van zeventig op vrijdagnacht in een taxicentrale?' Dat was de vraag waarop ik had zitten wachten.

'Ze stond op een plank,' zei ik iets te snel, en Phlox keek me kwaad aan.

'Heb je weer van die kierewiettabak gerookt, Lucas?'

Ik keek kwaad terug. 'Oma, je weet dat dat niet relevant is.'

'Niet van die moeilijke woorden tegen mij,' zei Phlox. 'Ik heb je vader ervoor gewaarschuwd en moet je zien waar die terechtgekomen is.'

Ik bleef haar aankijken en zei: 'Pap kan overal zijn, we weten het niet, maar Violet is blijven steken op een plank in een taxicentrale en ze heeft hulp nodig.'

Het voelde als iets wat mensen in films zeggen en het kwam uit mijn mond.

'Waar is Violet dan? Waar heb je het in vredesnaam over, Peter?' vroeg Norman, en ik schrok, omdat ik was vergeten dat hij daar zat.

'Ik dacht dat je sliep,' zei ik.

Phlox knipoogde naar me en fluisterde: 'Soms merk je het verschil niet.' En toen riep ze: 'Niks, Norman! Ga maar weer slapen. Het was de tv', wat een grove leugen was omdat de tv niet eens aanstond. Toen waren we weer terug bij het draaiboek voor de film en ze zei: 'Moet er losgeld betaald worden?'

Het was niet helemaal wat ik verwachtte. 'Wat?'

'Als iemand een oude dame gijzelt in een taxicentrale heeft hij daar geheid een reden voor.'

'Ze is dood, oma,' zei ik en ik telde tot tien om het tot haar door te laten dringen.

'Hebben ze een dode dame op een plank? Dat is afschuwelijk!' Phlox had zich te veel opgewonden. Ik kon de uitbarstinkjes achter haar ogen volgen. 'Hoe heb je haar ontmoet als ze dood was, Lucas?'

'Ze zit in een urn. Ze is gecremeerd.'

Daar had Phlox niet van terug. Ze opende alleen haar handen, spreidde haar vingers aan weerszijden van haar gezicht en probeerde nog steeds het antwoord op haar laatste vraag door te laten dringen. Ze had haar wenkbrauwen zo ver opgetrokken dat haar voorhoofd op een helling met terrassen leek. Ik wist dat ik haar volle aandacht had. Nu hoefde ik de bal alleen nog maar in te koppen.

'Oma, ik garandeer niks, maar ik geloof dat ze me mededelingen doet vanuit...'

Phlox mimede de woorden naar me met een gezicht dat heftig alle kanten op trok: '... *gene zijde?*'

Ik knikte en ging water opzetten.

Dat deed ik omdat de reactie van opa en oma op alles, vanaf de verdwijning van hun zoon tot en met de advertenties op de middenpagina van de *Emmerdale,* neerkomt op theewater opzetten. Ik geloof niet dat ze in vijftig jaar ooit langer dan twee uur zonder een kop thee hebben gedaan. Het zijn theejunkies.

En misschien is hun vertrouwen in thee niet eens zo gek. Toen ze eenmaal een slokje had genomen, was Phlox weer haar normale zelf, zonder gegaap en heen-en-weer geduw van haar gebit met haar tong. Ze was een en al behulpzame tips en opzienbarende ideeën.

Ik zei dat ik Violet wilde redden. De rest van het plan kwam voor het grootste deel van Phlox.

Het was briljant en simpel.

Als eerste moesten we Taxi Apollo bellen.

'Als hij iets vraagt waar ik geen antwoord op weet, zeg ik gewoon dat ik het me niet meer herinner. Niemand doet moeilijk tegen een oude dame,' zei Phlox en toen draaide ze het nummer en begon op haar oudevrouwentoon in de hoorn te jammeren. Daar krijg ik altijd de slappe lach van, omdat je zou denken dat een oude dame niet goed een oude dame na kan doen, maar Phlox wel.

'Hallo, meneer Soprano?' zei ze en ik gebaarde NEE naar haar, maar het kwam niet over. 'Hebt u mijn zus daar?'

Daarna zei ze: 'Misschien heb ik de verkeerde taxicentrale. Ze is zoek en ze zit in een urn en ze heet Violet. Komt u dat bekend voor?'

Vanwaar ik zat kon ik zijn blikkerige geknepen stem horen, maar ik kon niet verstaan wat hij zei.

'Nou, het spijt me dat u al die tijd met haar opgescheept hebt gezeten, maar ik zat in het buitenland, ziet u', en ze sprak het woord 'buitenland' uit zoals ze dacht dat de koningin het zou doen en trok vragend haar doorzichtige oude wenkbrauwen op in mijn richting.

Toen moest ik de kamer uit omdat Norman wakker was geworden en zich misdroeg in de keuken. Norman en de hond proppen zich achter Phlox' rug om vol met chocola, alsof Phlox de leiding heeft over een kamp met krijgsgevangenen en hij en soldaat Jack Russell verboden waar bij zich hebben. Phlox zegt dat het haar niet zoveel zou kunnen schelen, als ze niet alle twee doorgingen tot ze misselijk waren. Ze zegt dat Norman niet kan onthouden hoeveel hij op heeft en dat de hond alleen maar misbruik van hem maakt.

Ik pakte Norman de chocola af en liet de hond uit. Toen ik terugkwam, was Phlox aan het afronden. Ze snoot haar neus in een schone roze zakdoek en klonk huilerig, de oude bedriegster ('Ontzettend aardig van u, meneer Soprano, om al die moeite te willen doen, maar alleen als u er echt zeker van bent, ik zou het ontzettend op prijs stellen', enzovoorts, enzovoorts.) en toen gooide ze met een glimlach de hoorn erop. Met een kunstgebit is het zo dat het niet bij je gezicht past. Phlox ziet eruit alsof ze de grijns van iemand anders heeft geleend, van een beroemde filmster, alsof ze de volmaakte Hollywoodpareltjes van George Clooney midden op haar uitgezakte gezicht heeft geplakt.

'Hij komt eraan,' zei ze, 'over een halfuur, in hoogsteigen persoon, om haar te overhandigen.'

'Nou, dan kan ik maar beter gaan,' zei ik en ik pakte mijn jas en probeerde me langs Norman te wurmen, die in de deuropening stond en niet goed wist of hij op weg was naar binnen of naar buiten. 'Lucas Swain, maak als de donder dat je hier komt!' zei Phlox.

'Hij mag me niet zien, oma. Als hij mij ziet, zal hij je haar niet geven.'

'Nou, verstop je dan in de slaapkamer. Ik laat voor jou een vreemde in mijn huis. Het minste wat je kunt doen, is in de buurt blijven.'

Dus verstopte ik me vierentwintig minuten lang in Phlox' en Normans slaapkamer en piekerde over wat er allemaal mis zou kunnen gaan:

- Ze zouden de urn laten vallen en die zou openbarsten.
- De urn zou heen en weer rollen op de achterbank en openbarsten.
- Soprano zou de auto te pletter rijden, een hersenschudding krijgen en de urn totaal vergeten.
- Hij had gewoon gelogen om van dat oude mens af te komen en was helemaal niet van plan om te komen.
- Phlox had hem het verkeerde adres gegeven.
- Phlox had hem helemaal geen adres gegeven.
- Norman zou opendoen en zeggen: 'Nee, dank u wel' of: 'U bent aan het verkeerde adres', en hem weer dichtdoen.
- Norman zou denken dat het de as van mijn vader was en op tilt slaan.
- Norman zou denken dat het de as van Phlox was en op tilt slaan.
- Norman zou Phlox' verhaal verpesten door heel hard te zeggen dat ze nooit een zus heeft gehad die Violet heette.
- Phlox zou Violet bij de naam van een van haar echte zussen noemen (Dolly, Daisy, Daphne, Delia – ik weet niet hoe Phlox aan haar naam is gekomen. Ze wisten zeker geen namen meer met een D).
- Phlox en Norman zouden in slaap vallen en de bel niet horen (komt vaker voor).

- Een van die dingen, of alles tegelijk, zou me dwingen tevoorschijn te komen, zodat Soprano me zou zien voor hij de urn afgaf en iets in de smiezen zou krijgen.

Na vierentwintig minuten ging de bel. Phlox hoorde het en ging naar de deur. Ze had zich een beetje opgedoft met make-up, een vestje en een parelsnoer. Ik keek door een spleet in de deur. Tony Soprano had de urn heel voorzichtig vast. Hij zette Violet op de schoorsteenmantel naast de foto van mijn vader en condoleerde Phlox met haar zus.

Toen kwam Norman in een willekeurige vlaag van helderheid voor de dag met: 'Ze is dood, hoor!', en waarschijnlijk hebben ze ernstig geknikt of zoiets, want het bleef heel stil.

Tony Soprano moet een foto van Phlox en haar echte dode zus Dolly hebben gezien, die ook op de schoorsteenmantel staat, want hij zei: 'Is zij dat?' waarop Phlox antwoordde: 'Ja, ze was me d'r eentje', en Norman zei: 'Dat kun je wel zeggen, je grote zus lustte er wel pap van.' Tony Soprano kuchte en zei toen dat hij er maar weer eens vandoor moest. Phlox liep met hem naar de deur (ongeveer een meter) en ze gaven elkaar een hand en zeiden gedag, en ik bedacht wat een fatsoenlijke kerel het eigenlijk was, dat hij het allemaal zo serieus nam en respect toonde en zo correct handelde.

Toen kwam ik de slaapkamer uit, omdat Soprano weg was en Phlox uitviel tegen Norman omdat hij haar zus voor een slet had versleten. Ik vroeg me af hoe Violet zich op deze nieuwe plek zou voelen bij ruziemakende vreemden.

Ze stond op de schoorsteenmantel, rechts achter de oude voorpaginafoto van mijn vader. Daar stonden ze samen, degene van wie we alles dachten te weten behalve waar hij was (of niet was) en degene van wie we totaal niets wisten, behalve dat ze dood was en in het huis van mijn oma stond. Ik zat in een van Phlox' leunstoelen vol kussens naar ze te kijken en vroeg me even af waar we mee bezig waren. Was het wel mijn zaak waar een portie as uiteindelijk terechtkwam? Was ik niet goed bij mijn hoofd geweest, die nacht dat ik besloten had haar te redden?

Ik voelde Phlox' ogen van mij naar de urn gaan: ze wachtte op iets, misschien op een stem uit het niets of dat ik met mijn ogen zou gaan rollen, of dat de stroom zou uitvallen en zich een ectoplasma zou vormen. Ik wilde haar niet teleurstellen.

En toen... voelde ik het, eerst zwak maar onmiskenbaar.

Violet was tevreden.

Het leek op een langzame, geleidelijke gloed en ik zat gewoon namens haar te glimlachen. Ze had warmte (de verwarming stond constant hoog), ze vond het leuk ingericht (overvol en met veel gehaakte kleedjes) en niemand rookte of vloekte, en mocht er misschien muziek op? De Vierde van Rachmaninov (waar ik tussen twee haakjes nog nooit van had gehoord, ik zweer het, maar Norman had er een langspeelplaat van en die kregen we aan het draaien en Violet kende het als haar broekzak en ze ging helemaal tintelen, wat ongelooflijk was). Misschien was een aanleunwoning in Kentish Town niet haar eerste keuze qua idyllisch verblijf voor de eeuwigheid, maar het was een stuk beter dan Taxi Apollo en Violet wilde ons laten weten dat ze het waardeerde.

Ik was zwaar onder de indruk. Mijn benen trilden. Phlox dacht dat ik de nieuwe Uri Geller was. Ze bleef me maar aanstaren met haar mond halfopen en een afzakkend gebit en met een nieuw respect in haar ogen.

(Voor de goede orde: ik vind Uri Geller een grote idiote oplichter, maar Phlox vindt hem het einde omdat Normans horloge kapot was en Uri het blijkbaar via de tv heeft gerepareerd.)

En ik besloot dat pap en Violet Park niet eens zoveel van elkaar verschilden. De een was dood en de ander werd vermist, maar iedereen heeft zo zijn geheimen, niet dan? Bij om het even welk gezin zijn er achter de gordijnen gegarandeerd vreselijke dingen aan de hand. Hier komen er een paar van mij:

1. Neem pap bijvoorbeeld (ligt voor de hand), die een ander leven heeft waar wij niks vanaf weten, of dood is, wat hij ook aardig verborgen heeft weten te houden.
2. Phlox had een kind (mijn vader) van een encyclopedievertegenwoordiger voor ze met Norman trouwde. Toen was ze dapper, maar nu wil ze er niets over horen en liegt ze over haar trouwdatum alleen maar om het kind wettig te laten lijken.
3. Norman kon geen kinderen krijgen (de bof), maar hij weet niet dat wij allemaal weten dat hij eigenlijk geen deel uitmaakt van de familie. Mam heeft dat lang geleden aan Mercy en mij verteld, voor pap wegging, en ik weet nog dat ik vond dat het geen verschil maakte. Jed weet het nog niet, tenminste ik denk van niet. Misschien is Norman zelf wel vergeten dat hij niet

mijn vaders echte vader is, omdat hij hem zo erg mist en zo aftakelt en dat soort dingen.

4. Mam heeft meer dan een halfjaar geleden een vriendje gehad en denkt dat wij daar niets vanaf weten. Het was niet Bob (jammer) maar ze heeft wel een paar keer met Bob geslapen, nog zoiets waarvan ze denkt dat we het nooit hebben geweten. Het vriendje van mijn moeder heette David en hij geeft tekenles in het wijkcentrum. Hij is best aardig maar hij draagt enge sieraden en slaat een hoop onzin uit.

5. Mercy is aan de pil en rookt en gebruikt drugs en jat uit winkels en spijbelt en klimt uit haar slaapkamerraam om naar haar vriendje de bajesklant/dealer toe te gaan als ze huisarrest heeft.

6. Jed plast in bed, maar hij heeft mam laten beloven niks tegen ons te zeggen.

7. Mam heeft het tegen ons gezegd.

Dat is nog niet eens alles, maar meer vertel ik niet omdat het erom gaat dat we hartstikke veel geheimen hebben en dat iedereen die heeft. Volgens mij is vermist worden en dood zijn, zoals bij pap en Violet, gewoon een manier om een ander, groter geheim te hebben. En geheimen zijn niet zo moeilijk te achterhalen. Er is altijd wel iemand die zich verspreekt, of een spoor achterlaat, of op het juiste moment iets verkeerds zegt. En dan komt iedereen achter de waarheid, of ze dat nou willen of niet.

ACHT

Bob Cutforth was een man met geheimen. Hij had er altijd een heleboel en nu heeft hij er niet één meer. Hij zegt dat het zo beter is, maar het moet heel naar zijn geweest om steeds maar weer betrapt te worden, zoals met hem gebeurde, en om alles stukje bij beetje kwijt te raken. Wat ik echt goed vind van Bob, wat ik absoluut het leukst aan hem vind, is dat hij nu met niets veel gelukkiger is dan ooit. Bob zegt dat dat het beste soort vrijheid is: als je niets te verliezen hebt.

Hij zegt dat toen hij in een groot huis op Camden Square woonde, met een mooie vrouw, die een baan had aan de universiteit, en met een sexy assistente en een hond met stamboom en een indrukwekkende wijnkelder en een fantastische baan en een dikke portemonnee, er niet één moment was dat hij nergens over inzat. Bob maakte zich zorgen dat hij beroofd zou worden of overvallen of vermoord. Zijn vrouw was neurotisch en zijn assistente onverzadigbaar, dus kon hij geen van beiden tevredenstellen en daar piekerde hij ook over. Zijn hond was aan de Prozac en sprong op een ochtend, toen Bob naar het vliegveld vertrok, door een glazen deur omdat ze het niet leuk vond om alleen achter te blijven.

Bobs baan joeg hem de stuipen op het lijf. Hij ging naar Rwanda en Afghanistan en Pakistan en naar de Filippijnen en Libië en Colombia op momenten dat andere mensen al bang waren om er op tv naar te kijken. Geen wonder dat hij bang was. Bob zei dat hij op het laatst een liter wodka per dag dronk en dat de wijnkelder alleen maar voor de show was.

Het andere fantastische van Bob vind ik dat hij ook makkelijk vermist had kunnen raken, maar ervoor gekozen heeft om te blijven. Het ene moment was hij ieders held, net als John Simpson of Raggy Omar, en het volgende was hij een ontaarde psychopaat zonder moraal, had hij geen baan, wel een maîtresse, was hij verslaafd aan cocaïne, had hij zich een dure echtscheiding op de hals gehaald en een rijverbod wegens rijden onder invloed. Hij moet in de verleiding zijn geweest om te vluchten, maar hij hield vol, de hele tijd, en daarom alleen al moet je van zo'n man houden.

Onwillekeurig blijf ik me maar afvragen wat er nou zo erg was dat pap het niet meer aankon. Als ik daar antwoord op probeer te geven, hou ik niet van de kant die dingen dan op gaan. Ik heb het al eerder gezegd: je wordt gek van het niet weten. Je gaat je dingen verbeelden waarvan je zou willen dat je ze niet in je eentje kon bedenken.

Natuurlijk is Bob de aangewezen man om mee over mijn vader te praten en hij weet heel veel fantastische, geheime dingen waardoor ik het gevoel krijg dat ik hem beter leer kennen. Bob en mijn vader kennen elkaar al jaren. Ze werkten samen bij een plaatselijk nieuwsblad toen ze net van de universiteit af waren: *The Radnorshire Express*. Bob zegt dat er weinig 'express' bij kwam kijken en dat het de traagste en sloomste plaats was waar hij ooit heeft gewoond en dat als mijn vader er niet was geweest, hij gek was geworden van verveling. Ik stel me zo voor dat het een beetje op Andover leek, de saaiste plek waar ik ooit ben geweest. Mijn moeder stuurde me daarnaartoe voor een avonturenweekend en ik blijf zeggen dat ze ze had moeten aanklagen wegens valse voorlichting.

Volgens Bob was pap al een keer eerder vermist geraakt.

Hij was drie- of vierentwintig en had iets met een verpleegster uit Brazilië die Luzmira heette (Bob zei dat het 'kijk naar het licht' betekent). Bob en mijn vader werkten bij de *Evening Standard* en ze brachten veel tijd door met drinken en pokeren met een paar artsen van het Charing Cross-ziekenhuis. Een raar stelletje volgens Bob, echte fanatiekelingen, en sindsdien heeft hij een afkeer van dokters. Bob zei dat pap er tot over zijn oren in zat en hun hopen geld schuldig was. Toen verscheen pap plotseling niet meer op zijn werk of bij het pokerspel en raakte hij zijn baan kwijt. Luzmira en de artsen zeiden dat ze hem niet hadden gezien. Zijn hospita stopte al zijn spullen in een kast en verhuurde zijn kamer door. Bob dacht dat pap dood was. Ongeveer drie maanden later kwam pap onverwacht terug en wilde niemand zeggen waar hij was geweest, zelfs niet tegen Bob, en dat heeft hij ook nooit gedaan.

Maar als mijn vader één keer kon verdwijnen en weer tevoorschijn komen, kan hij dat nog een keer doen.

Agatha Christie is een tijdje vermist geweest toen ze al redelijk beroemd was en daarna kwam ze terug, maar niemand weet waar ze heeft gezeten. Behalve mijn vriend Ed, de vriend in wiens huis ik was in de nacht dat ik Violet ontmoette; die denkt dat hij het exact weet. Ed zegt dat zijn overgrootvader van moederskant een geheime relatie had met Agatha Christie in Jamaica of Antigua of daar ergens, maar het werd niets, dus ging hij terug naar zijn vrouw in Swindon. Hij bewaarde de sjaal die Agatha Christie hem had gegeven in zijn sokkenla en aaide die zo nu en dan liefdevol als zijn vrouw niet keek. Maar natuurlijk wist die het omdat vrouwen in die tijd de schone sokken van hun mannen opborgen en niets zeiden over relaties of over kledingstukken van minnaressen om de schande te vermijden.

Als mijn vader in de Caraïben verborgen zat met een detectiveschrijfster (of in Brazilië met een verpleegster) zou mijn moeder een enorme herrie schoppen. Ze is het stadium allang voorbij dat het haar iets kan schelen wat de buren zouden zeggen.

NEGEN

Ik dacht dat het verder makkelijk zou zijn als we Violet eenmaal uit de taxicentrale vandaan hadden. Toen ik met haar in de woonkamer van Phlox en Norman zat, stond niets me meer in de weg om haar uit te strooien en haar verder dood te laten zijn op een veel betere plek, en zelf weer mijn gewone leven op te pakken. Maar ik bleef het alsmaar uitstellen, en het duurde meer dan zes weken voor ik doorkreeg dat ze nog niet zover was.

Mercy had een keer een verhaal gelezen over dode mensen die van een heel prettig hiernamaals mochten genieten zo lang ze op aarde werden herinnerd, maar zodra ze werden vergeten, al was het maar voor één moment, gingen ze in rook op. Omdat ze maar bleef zeuren dat het zo'n fantastisch idee was, wilde ik er nooit meer iets over horen, maar ik moest eraan denken en bedacht dat het eigenlijk nogal logisch was dat als Violet, toen iedereen haar finaal was vergeten, zich zo had vastgeklampt, alsof haar leven ervan afhing (bij wijze van spreken), ze daar een reden voor moet hebben gehad. Ze kwam op mij zo levend over in die wedstrijdbeker, dat er wel iets móést zijn wat ze nog geregeld wilde hebben voor ze bereid was om voorgoed in het niets te verdwijnen. Ik wist alleen niet wat het was.

Ik wist nog niets van haar, behalve dat ze dood was.

Maar toen ging ik met Jed naar de bioscoop.

Naar de film gaan staat heel hoog in onze top-tien van dingen die we het liefste doen. Ik zou mijn hele leven achter elkaar films kunnen kijken zonder het gevoel te krijgen dat ik ook maar één seconde had verspild.

Jed houdt van ouwe troep die hij met Norman heeft gezien, zoals films met Charlie Chaplin of de Marx Brothers, en van animatiefilms en de meeste tekenfilms. Ik heb hem lid gemaakt van die Cinema Club voor kinderen. Daar hebben we *Binky's Toverpiano* gezien, een nogal oude, behoorlijk zwakke teken- en animatiefilm over een wonderkind dat alles op de piano kon spelen en over de hele wereld concerten gaf, behalve dat hij geen wonderkind was, omdat zijn piano al het werk deed. Tot de piano op een dag, toen Binky een toegift gaf in Carnegie Hall, besloot dat hij er genoeg van had en Binky niets meer kon spelen, zelfs geen *Vlooienmars*, en toen moest hij alles eerlijk bekennen en toen werd hij wakker en bleek het allemaal een droom. Einde.

Jed vond het prachtig en we wilden net de bioscoop uit gaan toen ik toevallig naar de aftiteling keek, die ouderwets langs rolde, en daar stond: 'Alle pianomuziek uitgevoerd door Violet Park in samenwerking met het Royal Philharmonic Orchestra in de Pinewood Studio's, Engeland.' Ik ging weer zitten, kreeg een droge mond en staarde naar het scherm omdat ik wist dat zij het was, net als toen ik wist dat ze mijn hulp nodig had en ik haar naam wist en wist dat ze het naar haar zin had bij Phlox.

De hele weg naar huis hield ik Jeds hand vast bij het

oversteken en luisterde naar wat hij zei over Binky en dat hij een tovergitaar wilde en of we gebakken ei met witte bonen op geroosterd brood gingen eten als we thuiskwamen, en in mijn hoofd zei ik steeds maar: 'Ik heb haar gevonden, ik heb haar gevonden, ik heb haar gevonden', en ik wist dat Violet ontzettend blij zou zijn.

Toen we thuiskwamen, overhandigde ik Jed aan mam alsof hij een pakje was, wat ze waarschijnlijk geen van tweeën leuk vonden, en ging ik regelrecht naar de bieb om een computer te reserveren en Violet Park, de pianiste, op te zoeken. Ik had het al ontelbare keren geprobeerd met mijn vader, maar de computer kwam altijd met zijn oude artikelen aanzetten of met dingen over toen hij vermist raakte, nooit echt iets over hemzelf, waardoor ik het tegenwoordig niet meer zo vaak deed.

De bibliotheek in Queens Crescent is een prima plek. Hij zit in een blokkendoosachtig gebouw vol appartementen, met bovenop een eigenaardige koeltoren van gele baksteen. Gezien wat er officieel wel en niet is toegestaan is het er nogal lawaaierig, en het speelgoed en de boeken en het meubilair gaan allemaal kapot of worden gestolen. Meestal zit de bibliotheek vol mensen die nergens anders terechtkunnen, dus doet niemand die daar werkt al te vervelend tegen hen. Ze praten tegen iedereen hetzelfde, maakt niet uit wie je bent. Als je erover nadenkt, is nergens een plek hebben waar je terechtkunt zo ongeveer het rotste gevoel dat er bestaat. Ik heb het getroffen, want ik heb een eigen kamer en eigenlijk schreeuwt er altijd maar één iemand tegelijk tegen me. Maar als ik naar huis zou gaan en iedereen zou tegen me schreeuwen en willen dat ik ergens anders was, dan was het laatste wat ik zou wensen dat vreemden in de bibliotheek ook tegen me zouden schreeuwen omdat ik daar was.

Eds chique moeder noemt onze straatjeugd misdadigers en ze laat de s tussen haar tanden sissen zodat het echt gemeen klinkt, MISSSDADIGER, wat ook haar bedoeling is. Iedereen onder de twintig met bijna geen geld, bij voorkeur mannelijk (maar daar komt verandering in) is een misdadiger volgens Eds moeder. Ik zei dat hij tegen haar moest zeggen dat we op school hebben geleerd dat misdadigers gemene, gewetenloze kerels zijn die mensen bestelen en vermoorden. En dat ze niet in vieze trainingspakken op straathoeken rondhangen en dope snuiven.

Ik tikte VIOLET PARK in bij de zoekmachine en kreeg 71.600 hits.

En daar was ze, mijn Violet, ongeveer halverwege de eerste van de 832 bladzijden, en dit stond er zo'n beetje:

- Een boek *Violet Fire*, van iemand wiens achternaam Park was en dat over de kleur van een meisje haar ogen leek te gaan.
- De *Violet Voice* en nog een hoop dingen van de African Violet Society, met een dame aan het hoofd die mevrouw Park heette.
- Een site die FLOWERS ARE FOREVER heette, over twee meisjes in Amerika, Janice en Violet, die bij een brand waren omgekomen en over een meisje in de derde klas dat Parker heette en een gedicht voor hen had geschreven.
- Violet Park Sneddon uit Manchester, die twee jaar ge-

70

leden op 8 september was gestorven, op 73-jarige leeftijd.

- *Dikke meiden en stevige hengsten* met in de hoofdrol
  Jenny Park, Violet en Tia Lorene, wat ik aangeklikt
  zou hebben als ik niet in de bibliotheek had gezeten,
  waar ze dat soort dingen blokkeren.
- Violet Mary Park uit Maidstone, 19 april, 57 jaar (niet
  dood).
- Violet Park, Indiana, een tuincentrum van hetzelfde
  bedrijf als Consider the Lilies in Wellfleet, Massachu-
  setts.
- Violet Park Barker uit Blair Gowrie in Schotland
  (1913-1978).
- Violets Rubber Stamp Inn in Ventura, Californië – le-
  zingen en toebehoren.
- Orlando Park, schrijver, stuntman en paardentrainer,
  gevestigd op Violet Farm in Nieuw-Zeeland.
- Three Dimensional Dementia, over tijdreizen of over
  geheugen of zoiets. Ik snapte er niks van.
- Violet Park, 1927-2002, een pianiste op de website van
  'belangrijke Tasmaanse vrouwen'.

Bingo.

De website van 'belangrijke Tasmaanse vrouwen' is niet
zo'n klein beetje trots op Violet Park.

Mijn moeders vriendin Belinda heeft in Tasmanië gewoond toen ze klein was en ze zegt dat een van de weinige
dingen die ze zich herinnert, is dat haar paardrij-instruc-
teur een zwarte snor had en oranje lippenstift en een
vrouw was. Op de website komen geen behaarde dames

voor, maar wel een zwart-witfoto van Violet toen ze 26 was, die uit een filmstudio afkomstig lijkt te zijn.

Violet toen ze jong en springlevend was.

Ze kijkt omlaag en een beetje opzij, zoals bij zoveel van die foto's, en van opzij gezien heeft ze een mooie, licht gebogen neus en heel lange wimpers, en een bepoederd gezicht met scherpe schaduwen dat eruitziet als koude, gladgestreken klei. Haar haar zit in een model dat veel oude dames nu hebben omdat het modern was toen ze jong waren, zo'n beetje naar binnen gekruld tot op haar schouders met een scheiding opzij, waaraan je kunt zien dat ze krulspelden in heeft gehad voor de foto.

Ze is niet zo mooi als ik had gehoopt, maar heel apart. Zelfs op de computerprint die nog bij mij aan de muur hangt, die van slechte kwaliteit is – helemaal korrelig en grijs – heeft ze iets waardoor je naar haar blijft kijken.

Violet was een concertpianiste uit Hobart, Tasmanië, en heeft in Australië, Singapore, Los Angeles en Londen gewoond. Ze was bij de film verzeild geraakt omdat ze op een feest iemand ontmoet had die een film maakte over een gestoorde pianiste, en de actrice die de pianiste speelde kon geen noot spelen. Violets handen zijn in de film te zien. De film heet *De laatste sluier* en is nogal ouderwets, maar Violets handen vliegen als vogeltjes over de toetsen heen en weer.

Vanaf dat moment trad ze veel op in films, met haar pianospel dan. Ik heb een paar van die films geleend bij een goede videotheek in Camden. Daarin praten de mensen deftig en spreken ze alle r'en, t's en s'en uit, zelfs als ze midden in de een of andere emotionele crisis zitten. De films hebben titels als: *Een wrede ontmoeting* en *Het bloe-menmeisje* en *Waar zijn de echte mannen gebleven?*

Ik nam ze mee naar Phlox en Norman om ze aan Violet te laten zien. Phlox vond het geweldig: ze trok de gordij-nen dicht, legde de telefoon ernaast (niet dat die zo vaak gaat), ging met Norman op de bank zitten en zei dat het net als vroeger was, net als in de Roxy. Toen giechelde ze als een schoolmeisje, wat zeker moest betekenen dat zij en Norman aan elkaar hadden zitten frunniken op de ach-terste rij, maar ik heb er niet naar gevraagd. Elke keer dat de pianomuziek aanzwol, keek Phlox naar Violets urn op de schoorsteenmantel en knikte goedkeurend. Ik zag dat ze eraan gewend raakte om haar om zich heen te hebben. Het was gewoon hartverwarmend.

TIEN

Er bestaan allerlei soorten vragen die echt tot de bodem kunnen gaan van wat voor iemand je eigenlijk bent. Ik bedoel niet van die waardeloze vragenlijsten uit de tijdschriften die Mercy laat rondslingeren. Ik bedoel de vragen waarop mensen hoe dan ook reageren, waardoor je echt iets over hen te weten komt. Bijvoorbeeld:

- Ben je voor de doodstraf?
- Als iemand je één miljoen pond zou bieden, ben je dan bereid voor die persoon te liegen over iets heel belangrijks?
- Denk je dat mensen van nature monogaam zijn (dat wil zeggen, met één partner toekunnen, net als zwanen en kreeften)?
- Als je iemands dagboek zou vinden, zou je het dan lezen?

Het gemene van die vragen is dat je weet wat het goede antwoord is, wat je zou moeten zeggen om bij iedereen over te komen als iemand die oké is. Maar je weet pas wie je bent als je voor zo'n keuze komt te staan. Dat weet ik heel zeker omdat ik mams dagboek heb gevonden en het meteen ben gaan lezen. Ik schrok echt van mezelf. Ik had best Violets dagboek willen vinden – ik zou veel liever achter de diepste geheimen van een mysterieuze oude dame komen dan achter die van iemand die ik elke dag zie, die mijn was doet, me een nachtzoen geeft en geen idee heeft dat ik weet wat ze denkt. Omdat de persoon in mams dagboek niet mijn moeder is, maar Nicky, die ze is als ze alleen is en niet degene die ik dacht dat ze was. Niet beter of slechter, gewoon anders, ingewikkelder, niet zo lief geloof ik, wel echter.

Toen ik er voor het eerst in keek, verwachtte ik niet iets interessants te vinden. Ik dacht dat er dingen in zouden staan als 'Jed ophalen voor de tandarts' of 'Eten met David' of 'Yoga om 19.00 uur', waaruit maar weer eens blijkt hoeveel ik weet. Dit was het eerste wat ik las:

Als ik niet woest ben op Pete dat hij me in de steek heeft gelaten, ben ik jaloers op hem omdat hij er als eerste tussenuit geknepen is. Eén van ons kon er maar vandoor gaan.

Dus begrijp je misschien waarom ik verder las, of waarom ik had moeten stoppen.

Het blijkt dat mam naar een therapeut gaat die Janie Golden heet en een van haar opdrachten (het staat allemaal uitgeprint op een vel dat aan de binnenkant van het omslag is vastgeniet) luidt om gedachten en gevoelens op te schrijven waar ze het over kunnen hebben.

Wil je er nog een?

Ik ontmoette Pete op een feestje toen ik negentien was en hij zesentwintig. Hij was heel zelfverzekerd en zag er heel goed uit en iedereen hing in zijn buurt rond omdat hij net terug was van een gevaarlijke opdracht of zoiets, en ik voelde me zo vereerd dat hij met mij wilde praten dat ik vergat dat ik niet eens echt op hem viel. Ik zou in nog geen honderdduizend jaar gedacht hebben dat ik vanwege hem het leven ben gaan leiden dat ik nu heb.

Ik zei steeds tegen mezelf dat ik het schrift moest terugleggen omdat ik het helemaal niet leuk vond wat ik las, maar tegelijkertijd kon ik niet stoppen, het lukte gewoon niet.

Natuurlijk had ik me helemaal niet vereerd hoeven voelen, maar hij. Ik had iedereen in die kamer kunnen krijgen, ik wist het alleen niet. Dat weet je dan nooit. Als ik zestig ben vertel ik vast iedereen dat ik erg mooi was op mijn veertigste, maar zo voelt het nu niet.

Je vergeet altijd dat je ouders ooit jong zijn geweest, en ze geven zo zelden toe dat ze ongelijk hebben dat ze je zover krijgen dat je gewoon gaat geloven dat ze volmaakt zijn. Maar allemachtig, wat heeft mijn moeder een stel fouten gemaakt. Ik krijg de indruk dat ze behoorlijk spijt heeft van alles wat ze ooit heeft gedaan. Alsof ze op het moment zelf nooit heeft geweten wie ze was en alleen maar achteraf de dingen op een rijtje kon zetten toen het te laat was.

Voor elke keuze die ik maak is er een andere, alternatieve keuze en ik merk dat ik daarnaar hunker zodra die er niet meer is. Of het nou om een paar schoenen gaat of om een huwelijk.

Ik heb mezelf nooit echt afgevraagd of mijn vader en moeder verliefd op elkaar waren. Dat doe je niet. Ik heb nooit geprobeerd uit te vinden hoe het allemaal zo gekomen is, omdat het niet mijn zaak was. Mam heeft jarenlang grapjes lopen maken over haar vreselijke huwelijk en ik vond gewoon dat ze dat op een ontzettend leuke manier deed. Nu weet ik niet wat ik moet denken.

Een van de kinderen vroeg waar het woord 'kerngezin' vandaan kwam en ik zei dat een gezin net als een kernbom met verschrikkelijke gevolgen kan ontploffen, wat vast al een keer eerder gezegd is. Ik heb geen enkele originele gedachte in huis.

Hier is iets wat ik nooit geweten zou hebben als ik niet in de fout was gegaan en in de spullen van mijn moeder had zitten neuzen. Toen ik negen of tien was, heeft ze een man ontmoet op wie ze viel. Er is niets gebeurd, maar ze was bereid alles voor hem op te geven, dus heeft ze hem nooit meer gezien of gesproken of wat dan ook, omdat ze niet aankon wat er zou gebeuren als ze het wel deed. Ik zou haar van alles willen vragen, zoals: was het het waard? En waarom ga je nu niet naar hem op zoek? En weet je het zeker? In haar dagboek staat dat ze binnen een week totaal niet meer wist hoe hij eruitzag en zich alleen nog maar fragmenten van hem kon herinneren: een oog, een stukje van zijn tanden met tandvlees, zijn handen. Ik zou tegen haar willen zeggen dat ze nog eens met hem had moeten afspreken en dat had moeten blijven doen tot ze zich aan iets van hem was gaan ergeren, bijvoorbeeld dat hij in zijn neus peuterde of een serveerster afblafte, zodat hij heel gewoon en vervelend zou worden net als wij en pap, niet perfect en onmogelijk. Dan zou ze het niet na al die jaren nog steeds over hem hebben tegen een therapeut. Maar als ik er iets over zou zeggen, zou ze weten waar ik het vandaan had en waarschijnlijk een hekel aan me krijgen.

Mijn moeder vindt dat ze per dag ongeveer een uur voor zichzelf heeft, meestal rond een uur of tien 's avonds, maar dat ze dan onmiddellijk vergeet wat ze al de hele dag zo graag had willen doen, dus dan kijkt ze in de krant wat er op tv is en doet uiteindelijk niks. Voor mij is nietsdoen zo'n beetje waar ik voor leef, maar ooit zal ik dat moeten veranderen omdat nietsdoen mijn moeder verdrietig maakt.

Mijn moeder heeft heel wat over ons te melden in haar schrift. Ze kijkt dwars door Mercy heen omdat ze zelf ook zo is geweest, en ze denkt dat ze Mercy zo veel mogelijk moet negeren tot die erdoorheen is, waarna zij klaarstaat om de scherven op te ruimen. Ik neem aan dat het om seks, drugs en tongpiercings gaat en ook dat ze daar waarschijnlijk gelijk in heeft. Mam zegt heel lieve dingen over Jed, net als wij allemaal, omdat hij ons gelukspoppetje is of zoiets, en hij geen last heeft van onplezierige familie-geheimen, maar verdiept is in lego en spreeuwen en Baby-bel-kaas. Ze is bang voor het moment dat zij voor hem niet meer de belangrijkste persoon op de wereld zal zijn en ze weet dat dat gaat gebeuren en doet daarom een beetje klef tegen hem. Over mij zegt ze rare dingen, en het is natuurlijk mijn eigen schuld dat ik daar razend om word, omdat het niet voor mijn ogen bestemd was:

Ik maak me zorgen om Lucas. Hij wordt net als zijn vader, met opzet, recht voor mijn neus, en hij bakt er niks van omdat hij Pete nooit echt heeft gekend, niet zoals wanneer hij er nog steeds zou zijn. Hij weet nog niet de helft en ik denk niet dat ik het hem kan vertellen.

Ik heb niet het recht om zoveel van mijn moeder te weten.

ELF

Mijn moeder heeft iets met tanden. Ze is er heel streng op. We moeten allemaal voortdurend onze tanden poetsen en twee keer per dag flossen. Ze gaat tegen Mercy helemaal uit haar bol over tabaksvlekken. Als ik 's avonds heel laat thuiskom, draai ik op het moment dat ik de deur dichtdoe gelijk de sleutel om in het slot, om niet nog meer lawaai te maken, en ga heel voorzichtig op mijn tenen de trap op en sluip met mijn schoenen in de hand langs haar deur, en dan roept ze: 'Tanden poetsen, Lucas!' Alsof ze de hele avond is opgebleven om dat te kunnen zeggen, alsof ze daarmee wil zeggen dat ze ons dan misschien niet meer in de hand mag hebben, of de helft van de tijd niet weet waar we uithangen, maar dat ze zich wat ons gebit betreft nooit gewonnen zal geven.

Onze tandarts zit achter Taxi Apollo, boven een louche nachtwinkel waar ooit een Citroëngarage heeft gezeten en waar het sterk naar gegrilde kip ruikt. Je drukt op een bel, gaat een paar trappen op en dan ben je er. In de behandelkamer hangt een schilderij. Ik moet het al ontzettend vaak hebben gezien, om precies te zijn ruim acht jaar lang twee keer per jaar. Ik heb ernaar gekeken terwijl ik half luisterde naar de tandarts, die het over iets raars had, bijvoorbeeld over de emotionele eigenschappen van bloemen of over de overeenkomsten tussen Al-Qaida en een spinnenweb.

Maar pas de laatste keer, achterovergekanteld in de stoel, met mijn mond wijd open terwijl er iemand met rubberen handschoenen in zat, zag ik het pas goed.

Het was een portret van Violet.

Ik geloof dat ik bijna de hand van de tandarts inslikte.

Ik kreeg er de rillingen van, alsof Violet me achtervolgde of iets dergelijks. Wat deed ze hier?

Ik dacht: is dit altijd al een portret van Violet geweest of spookt ze bij een ander schilderij rond om me op stang te jagen?

Zou ze als ik wegging verdwijnen en vervangen worden door een zicht op de oceaan of een kleuter met een hond?

Want zo voelde het: helemaal niet als een schilderij, maar alsof de echte Violet Park vanaf de muur op me neerkeek.

We konden onze ogen niet van elkaar afhouden.

Ze zat in een brede houten lijst, waardoor het schilderij groter leek dan het was, ongeveer zo groot als een schoenendoos. Ik vond het een aardig schilderij, de manier waarop ik precies de kreukels in haar blouse kon zien zitten en elk plukje haar en dat soort dingen. Ze had rood haar. Dat had ik uit de zwart-witfoto niet kunnen opmaken; daar had het elke kleur kunnen zijn. Ze had iets verlegens – de manier waarop ze haar hoofd schuin hield en opzij keek – en ook iets hards, alsof je geen loopje met haar kon nemen: opengesperde neusgaten als van een paard en een vooruitstekende kin. De verfstreken op de achtergrond waren grof, alsof degene die het had geschilderd ineens haast had gekregen toen hij zover was gekomen en de verf er toen min of meer op had gekwakt.

Maar die ogen waren ongelooflijk. Groen en bijna driedimensionaal op plekken waar de verf dik was aangebracht en weggekrabd. Ook al wist ik dat het maar verf was en dat de witte spikkels boven op de andere kleuren licht verbeeldden maar geen echt licht waren, toch waren de ogen zo echt, zo overtuigend en levendig dat ik er min of meer door gefascineerd werd.

Het was absoluut Violet en ze zat wel degelijk naar me te kijken.

Toen ik na het spoelen en spuwen weer baas over mijn eigen mond was, vroeg ik: 'Is dat Violet Park?' en ik hoopte dat het heel terloops klonk, als tegenwicht voor de rode kleur en het klamme zweet dat me uitbrak.

De tandarts zei ja en vroeg waar ik Violet van kende. En ik zei: 'Ik zie haar wel eens', waarvan we alle twee wisten dat het niet erg geloofwaardig klonk, aangezien ze al vijf jaar dood was.

Toen draaide de tandarts zich om, schreef iets in een schrift en zei drie dingen: 'Violet woonde hier in de buurt, in het groene huis op Chalcott Crescent. Het is een zelfportret en ze heeft het ons in haar testament nagelaten.'

Toen zei ze dat ik bij de receptie een envelop aan mezelf moest adresseren zodat ze me over een halfjaar een herinnering konden sturen en dat ik een fantastisch gebit had, en daarna werkte ze me de deur uit.

Ik wist nu zeker dat Violet me iets wilde zeggen.

Ik was met stomheid geslagen dat ze echt een testament had achtergelaten.

Ik had geen idee dat ze zo goed kon schilderen.

Ik vroeg me af of er iemand van de tandartsenpraktijk naar de begrafenis van Violet was geweest, of dat ze er enig idee van hadden dat ze zo lang vlak onder hun neus in die urn had gezeten.

Violets huis is grijs-groen met brede schuiframen. Het heeft een grote oude blauweregen die tegen het huis op klimt en een ijzeren trap die naar beneden gaat, naar het souterrain, en een zwartmetalen brievenbus. Het huis staat aan een weg in Primrose Hill, precies op een punt vanaf waar je het de hele straat lang kunt zien. En als je vanuit het huis door het raam zou kijken, zou je door de opening in de daken recht het park in kunnen kijken. Het moet een van de beste huizen uit die omgeving zijn, wat niet niks is, ook al is het een beetje vervallen en bladdert de verf overal af en zit er mos op de regenpijpen.

Ik ben minstens honderd keer langs dat huis gelopen voor ik wist dat het van Violet was.

Het was zo vertrouwd dat het me nauwelijks opviel, en plotseling was het helemaal nieuw en vreemd en popelde ik om naar binnen te gaan. Op de terugweg van de tandarts was ik voor het huis blijven staan. Ik stond er precies midden voor met mijn handen op het hek en voelde dat ik naar binnen getrokken werd. Ik wilde niet weg. Ik geloof dat ik elke centimeter heb bekeken tot het net zo vertrouwd en levendig werd als een gezicht. De muren hadden zo'n lichte kleur als de achterkant van een blad en vervelden als een huid. De regenpijpen en leidingen leken op een netwerk van aderen, en elk raam weerkaatste een ander licht, en in de ramen van de benedenverdieping werd, terwijl ik naar binnen keek, ook ik weerkaatst.

TWAALF

Ik had lopen denken over wat mam in haar dagboek had geschreven: dat ik een gebrekkige versie van mijn vader was. Ik had erover lopen nadenken ook al werd ik verondersteld geen idee te hebben van wat zij dacht.

Ik zat op mijn kamer en stelde mezelf steeds weer dezelfde vraag.

Klopt mijn herinnering aan mijn vader wel?

Het is waarschijnlijk niet toevallig dat ik mam bijna nooit dingen over hem heb gevraagd maar wel altijd van alles aan Phlox vroeg. Misschien zag Phlox hem wel op de manier die ik wilde, halfblind, zonder het wrede licht van feitelijke kennis. Hoe goed kennen moeders per slot van rekening hun zoons? Ik ging met een dode vrouw om, kreeg te weinig slaap en las haar diepste gedachten, terwijl mam niets in de gaten had. Dus dat betekent dat Phlox' volwassen zoon die al vijf jaar vermist wordt als een vreemde op haar zou overkomen.

En nu ik erover nadenk: hoe goed kennen mensen hun eigen vader en moeder? Ik begin het nog maar net door te krijgen. In het begin denk je dat de wereld van hen is, en vanaf dat moment gaat alles bergafwaarts. Ouders doen te veel dingen om je ervan te doordringen dat ze allesbehalve volmaakt zijn:

- Praten zoals ze denken dat tieners praten (altijd fout, ontzettend fout).
- Worden te snel of te erg dronken.
- Zijn onbeleefd tegen mensen die ze niet kennen.
- Flirten met je leraar en je vrienden.
- Vergeten hoe oud ze zijn.
- Gebruiken hun leeftijd tegen je.
- Nemen piercings.
- Dragen leren broeken (mannen en vrouwen).
- Rijden slecht (zonder het toe te geven).
- Koken slecht (dito).
- Takelen af.
- Zingen in de douche/auto/het openbaar.
- Zeggen geen sorry als ze ongelijk hebben.
- Schreeuwen tegen je of tegen elkaar.
- Slaan je of slaan elkaar.
- Stelen van je of van elkaar.
- Liegen tegen je of tegen elkaar.
- Vertellen schuine moppen waar je vrienden bij zijn.
- Zeuren tegen je waar je vrienden bij zijn.
- Proberen je kameraad te zijn als het hun uitkomt.

Zelfs met fantastische ouders is de lijst eindeloos. Ze winnen het nooit.

Ik was elf toen mijn vader wegging.

En nu drong het tot me door dat ik, in plaats van hem te missen, van hem te dromen, hem in de massa te zien en hem in een soort mythische supervader te veranderen, ruzie met hem had kunnen maken, cd's met hem had kunnen kopen, als minderjarige dronken met hem had kun-

nen worden, van hem had kunnen stelen, hem voor hypo-
criet had kunnen uitschelden, had kunnen merken dat hij
een slechte adem had. Echte dingen, van alles door elkaar,
geen volmaakte plaatjes vol verlangen die zich alleen
maar in mijn hoofd afspeelden.

Pap heeft niet alles met ons door hoeven maken wat
mam met ons heeft doorstaan. Bijvoorbeeld mijn super-
kritische fase, toen ik alles wat mam deed zo gênant vond
dat ik al chagrijnig werd als ik haar hoorde ademen of kauwen of als ze haar mond opendeed om iets te zeggen.

Mijn vader kwam daar goed vanaf, omdat ik dacht dat
hij volmaakt was, hij er niet was.

En in de tijd dat hij weg is ben ik geleidelijk aan dingen
over mijn moeder te weten gekomen, goede en slechte
dingen. Het ligt voor de hand dat de manier waarop ik pap
zie in die tijd ook veranderd moet zijn.

Dus begon ik te geloven dat mam gelijk had over mij en
dat we daar misschien eens over moesten praten. Maar ik
had geen idee hoe je zoiets moest aanpakken.

DERTIEN

Rond die tijd viel Phlox van een ladder. Of misschien was het een stoel. Hoe dan ook, ze viel ervanaf en sloeg in haar val met haar hoofd tegen de keukenaanrecht. Twintig minuten later kwam ze bij met een gebroken heup en een hersenschudding, terwijl Norman in elkaar gekropen huilend in een hoek zat omdat hij dacht dat ze dood was en hij het alarmnummer niet meer wist. Ze had geprobeerd een raam dicht te doen.

In het Londen Free-ziekenhuis zou ze in elk geval niet met dat probleem te maken krijgen. Dat gebouw is net zo hermetisch afgesloten als een gevangeniscel en stinkt even erg. De zaal waar Phlox lag was op de achtste of negende verdieping en vol oude mensen die hunkerden naar een snufje buitenlucht. Ik ging meteen uit school bij haar op bezoek en nam Jed mee, omdat mam meteen naar het ziekenhuis was gesneld en er niemand was om hem op te halen. We liepen door de schuifdeuren naar binnen, onder een sterke warme luchtstroom door, en de stank overviel ons: linoleum, kool en oudedamesluchtjes, en Jed zei: 'Is dit een restaurant of een winkel?'

En ik zei: 'Alle twee, voor zieke mensen.'

Jed is niet goed met liften. Hij blijft altijd staan als een

konijn in het licht van koplampen als er van hem verwacht wordt dat hij erin stapt, omdat hij denkt dat hij tussen de deuren zal komen, en omdat hij stil blijft staan en
er net iets langer over doet om erin te gaan, gebeurt dat
meestal ook.

We namen de trap.

Phlox lag halverwege de Edwin Sprockett-zaal plat in
bed met een abrikooskleurig bedjasje aan dat pijn deed
aan je ogen. Rond haar benen was het bed helemaal opge-
vuld met kussens en ze leek op zo'n pop met wijde ge-
breide rokken die mensen van haar leeftijd over pleerollen
zetten. Ze had haar gebit niet in en de onderste helft van
haar gezicht was helemaal ingevallen. Het gebit lag in een
beker op haar nachtkastje, sterk uitvergroot door het plastic, zodat het er verwrongen en heel groot uitzag en ik zag
Jed ernaar loeren. Er stonden daar heel wat gebitten in
heel wat bekers.

Mam leek blij om ons te zien. Je zag dat ze moeite had
om met Phlox te communiceren. Ik zei dat als ze naar huis
wilde om Jed eten te geven, ik het niet erg vond om nog
wat langer te blijven. Mam knipoogde naar me, gaf Phlox
zo'n snelle geïrriteerde zoen op haar wang en vertrok met
Jed. Ze wist niet hoe snel ze weg moest komen, dat was
wel duidelijk.

Ik denk dat de relaties een beetje gespannen zijn als je
alle twee door dezelfde man verlaten bent. Mam en Phlox
herinneren elkaar aan wat ze beiden verloren hebben door
alleen al samen in één kamer te zijn. Maar toen ik bij
Phlox zat en zag hoe ze mam zag vertrekken, bedacht ik
dat het misschien niet aan Phlox lag dat ze geen vriendin-

nen meer waren, maar aan mam. Phlox vond het niet erg om eraan herinnerd te worden, helemaal niet; daar was ze eigenlijk op uit. Maar mam kon het niet aan. Mam wilde vergeten.

En ik dacht erover na wie pap voor elk van hen was. Phlox' volmaakte, slimme, knappe zoon en mams lastige, verwaande, afwezige echtgenoot. Alsof ze over twee verschillende mannen treurden.

Hoeveel verschillende versies van pap misten we met zijn allen, Mercy en ik en Bob en Norman en mam en Phlox? Voor elk van ons een andere, en niet één daarvan was echt.

Behalve misschien voor Jed, en dat komt doordat pap voor hem gelijk staat aan iets wat er nooit was.

Phlox vond het verschrikkelijk in het ziekenhuis. Ze zei dat een muffe kamer vol zieke mensen leek op doodgaan in een Tupperware-doos. Ze zei dat het onmogelijk was om een beetje privacy te krijgen en dat niemand oud wilde zijn en in een nachtpon in een vissenkom wilde zitten. Ze zei dat ze nooit had gedacht dat ze de aanleunwoning nog eens zou missen, maar je bent nooit te oud om te leren.

Ze vertelde dat ze na haar val uit haar lichaam was getreden en zichzelf van bovenaf had zien liggen, languit op de keukenvloer. Maar haar bijna-doodervaring liet haar onverschillig. Ze zei: 'Toen ik me omdraaide om die tunnel naar het hiernamaals te zoeken waarover ik in *Reader's Digest* had gelezen, was er geen sodeflikker.'

Phlox maakte zich op de eerste plaats zorgen om Norman en de vraag hoe hij het zonder haar redde. Ik zei dat Jed en hij waarschijnlijk op dat moment chocola zaten te schranzen en oorlogsverhalen zaten uit te wisselen, maar het kwam er niet zo grappig uit als ik gehoopt had. Ze zei dat ik Violets as mee naar huis moest nemen zolang Norman in zijn eentje was, omdat hij die anders voortdurend zou zien en zou denken dat er iemand dood was en van streek zou raken. Ik probeerde haar op te vrolijken met verhalen over de website waar ik Violet had gevonden en over haar portret, en ik vertelde dat ik er bij de tandarts achter was gekomen dat ze praktisch om de hoek had gewoond en zo. Maar Phlox luisterde niet echt, en toen kwam de verpleegster zeggen dat het tijd was voor Phlox' wasbeurt en dat was voor mij het sein voor vertrek.

Omdat Phlox het had gevraagd, ging ik regelrecht bij Norman langs en die deed een beetje huilerig met een verbijsterd gezicht de deur open. De gezinshulp was er, een en al vrolijke grapjes en luid gefluit, en ik geloof dat Norman dacht dat hij misschien met haar getrouwd was. Hij deed zijn best om zijn teleurstelling te verbergen. Toen hij achter me aan naar de voorkamer liep en de urn zag begon hij opnieuw te huilen, maar ik kwam er niet achter wie hij dacht dat er dood was.

'Het is Violet, opa,' zei ik boven het lawaai van de stofzuiger uit.

Norman keek verschrikt en vroeg: 'Violet? Wanneer is ze gestorven?' maar ik had geen tijd om het uit te leggen.

Ik liet Violet nog een keer rondkijken, controleerde toen of het deksel er goed op zat en stopte haar in mijn rugzak. En omdat ik het niet zag zitten om haar mee naar huis te nemen en aan wie dan ook uit te leggen waarom ik in mijn rugzak had wat erin zat, ging ik naar Bob.

Vraag: hoe kom je bij iemand aan de deur met een dode dame in je rugzak?

Antwoord: je houdt je mond erover.

Terwijl Bob in de keuken was stopte ik mijn rugzak onder in zijn klerenkast. Violet had nu een hekel aan me omdat ik haar hierheen had gebracht. Ik kon het door de stof van mijn rugzak heen voelen sijpelen. Deze plek was zo ongeveer het tegenovergestelde van het huis van Phlox en Norm. Er waren geen koperen versieringen, geen borden van koninklijke huwelijken aan de wand en geen kanten kleedjes op de meubels. Bob doet niet zoveel aan versiering, of zelfs maar aan schoonmaken. Er was een gemeenschappelijke hal die naar koolsoep rook. In de badkamer hing een kaal peertje, er stonden kaarsen en wierookstokjes, en geen tv.

Violet was absoluut niet onder de indruk.

Bob zette groene thee, waarvan hij zei dat zenboeddhisten die drinken om zich te concentreren voor ze aan hun meditatie beginnen. Ik goot het spul door mijn keelgat omdat ik vond dat een helder hoofd op dat punt alleen maar meegenomen was. Het smaakte naar gras. Hij vroeg hoe het thuis ging en ik gromde wat en Bob zei: 'Je moeder maakt zich zorgen om jou', en ik zei: 'Ja, ze denkt dat ik net als pap word', en hij zei: 'Is dat ook zo?' en ik zei: 'Hoe moet ik dat weten?' en daar had ik een goed punt, vond hij.

Toen zei ik iets over dat mam zelf genoeg problemen aan haar hoofd had zonder er over mij nog een paar bij te verzinnen, en Bob daagde me min of meer uit om dat te bewijzen, want hij zei: 'O, dus jij bent een expert als het erom gaat wat er in je moeders hoofd omgaat?' en ik zei

dat ik dat inderdaad was omdat ik mams dagboek had gevonden en niet had kunnen stoppen met lezen ook al was
ik niet blij met wat erin stond.

Het was zowaar een opluchting om het aan iemand te
vertellen.

Bob zei dat ik ermee moest ophouden omdat het privé
was. 'Het is onvergeeflijk,' zei hij. En hij zei ook dat er manieren waren om te praten over wat ik had gelezen zonder
toe te geven dát ik het had gelezen.

Ik vertelde hem dat ze had geschreven: 'Ik zou willen
dat ik van Bob hield', omdat ik dacht dat hij dat wel interessant zou vinden, maar hij fronste alleen maar zijn voorhoofd en keek naar het vloerkleed.

Voor ik wegging, vroeg hij hoe het met Phlox ging. Hij
zei dat mam had gebeld om hem te vertellen wat er was
gebeurd. Ik vertelde hem over Phlox' contact met het hiernamaals, en dat het niet was wat ze ervan had verwacht.
We waren het erover eens dat het echt iets voor Phlox was.
Zelfs de hemel voldeed niet aan de verwachte kwaliteit.

VEERTIEN

Mijn vriend Ed, die met de chique moeder en het huis in Primrose Hill, zei dat ik altijd al gek was geweest en steeds gekker werd. Hij zei dat hij het altijd leuk had gevonden dat ik me als een oude man kleedde en in mezelf praatte (blijkbaar) en me niet zoveel aantrok van wat mensen over me zeiden. Maar daarna zei hij dat ik moest gaan oppassen, omdat de mensen die over me praatten meisjes waren, mooie meisjes, en met een ervan wilde hij een avondje uit. Ed wilde dat ik meeging iets drinken met die mooie meisjes in een of andere bar, niet als een oude man, niet in mezelf pratend, niet bezorgd en niet in een bui waarin ik liever alleen wilde zijn, met andere woorden, helemaal niet als mezelf maar als een of andere volmaakte vriend die Ed wilde dat ik was.

Ik zag er erg tegen op.

Maar ik ben gegaan, omdat Ed mijn vriend is en daar heb ik er eigenlijk niet zoveel van, en ik mag hem nou eenmaal ook al zijn we verschillend.

Ik weet niet meer precies hoe ik Ed heb leren kennen. Ik had hem al een tijdje in beeld voor we echt iets tegen elkaar zeiden. We waren allebei nogal op onszelf toen hij op school kwam en zo kwam het dat we uiteindelijk samen op onszelf waren. Ed kwam halverwege het derde jaar op school. Hij had op de ene chique, dure school na de andere gezeten en was overal vanaf getrapt. Volgens Ed hoef je niet zoveel te doen voordat ze je vragen om te vertrekken. Zijn moeder trekt al haar bol geföhnde haren uit haar hoofd omdat hij zo'n onintellectuele opleiding volgt, maar Ed zegt dat dit de eerste school is die hij leuk vindt, dus zullen ze het erover eens moeten worden dat ze hier nu eenmaal verschillend over denken. En Ed valt natuurlijk niet meer zo op als toen hij er pas was. Hij hoort er helemaal bij. Iedereen mag hem.

Dus gingen we iets drinken, ook al was dat het laatste waar ik zin in had. Het was een mooie avond in Camden, de lucht maakte veel goed door het weinige dat ervan te zien was over de hele Stables Market roze, paars en goud te kleuren. Ik heb nooit problemen in een kroeg, misschien vanwege mijn lengte, maar we gingen naar een nieuwe en Ed liep meteen door naar de tuin, voor de zekerheid. Ik nam een Guinness, vies en lekker tegelijk. Ed dronk een hip biertje uit een flesje en beet op zijn nagels.

We zaten nog niet of hij zei: 'Ze zijn te laat, ze komen niet.'

Ik weet niet wie van ons het zenuwachtigst was.

Ed had me al alles verteld wat hij vond dat ik moest weten, wat erop neerkwam dat de meisjes Natalie (blond) en Martha (bruin) heetten en alle twee zeventien waren. De blonde, Natalie, zat in de atletiekploeg, had een navelpiercing en was van Ed, dus mocht ik op geen enkele manier proberen indruk op haar te maken. Blijkbaar mocht ik Martha hebben, degene voor wie Ed niet eens moeite had gedaan iets over haar te weten te komen.

Ik zei net dat het ironisch was dat Ed (nu eens een keer) helemaal gespannen en zenuwachtig was en ik niet, toen de meisjes verschenen en ik helemaal versteld stond, want Natalie was best wel knap al viel ik helemaal niet op haar, maar Martha was zo mooi dat ik wel kon janken.

Die eerste avond met Martha zat ik vooral naar haar te kijken. De hele tijd heb ik mijn ogen niet van haar afgehouden en ze zegt dat ze dat fijn vond. Ze zegt dat mensen haar over het algemeen niet zien staan.

Ik snap niet hoe dat mogelijk is.

Toen Martha twee dagen en tweeënhalf uur na onze eerste ontmoeting belde, nam ik op en zei zij: 'Hoi, met Martha. Martha Hooper. De vriendin van Natalie, we hebben elkaar vrijdag ontmoet.' Op die manier, en ze ging maar door, alsof ik een heleboel andere Martha's kende, of me haar niet meer zou herinneren. Ik vond het vreselijk.

Van die avond weet ik niet zoveel meer, maar van Martha herinner ik me nog alles.

Martha is negen maanden ouder dan ik.

Martha heeft geen bruin haar. Martha's haar heeft duizend verschillende kleuren, elke haar een andere: zwart, bijna zwart, chocoladebruin, kastanjebruin, mahonie, amber, blond.

Martha's ogen zijn niet groen. Ze hebben de kleur van olijven en van boomschors en van klimop en van jade.

Martha heeft een bleke, zachte huid, het bleekst aan de binnenkant van haar polsen, het zachtst op haar dijen, en sproeten op haar neus, wangen en schouders.

Martha is enig kind en haar vader en moeder zijn nog

steeds verliefd op elkaar en Martha's moeder heeft kanker.

Martha zegt dat haar moeder al meer dan tien jaar altijd wel de een of andere vorm van kanker heeft, vanaf dat Martha zeven was.

Ze zegt dat ze bij haar thuis grapjes maken over het aantal keren dat haar moeder een pruik droeg op haar verjaarsfeestje toen ze klein was.

Martha zegt dat haar moeder de grappigste vrouw ter wereld is en dat ze je om alles aan het lachen kan krijgen, zelfs om doodgaan op je vierenveertigste. Haar moeder zegt dat de enige manier om met kanker om te gaan is er de spot mee drijven en hem kleineren, anders bepaalt hij alles wat je doet, zegt of denkt en dan wint hij.

Martha zegt dat hij over het algemeen op den duur meestal wint.

De tweede keer dat ik Martha zag, nam ze me mee naar St. Johns Gardens, een heel stil stukje van Regents Park, bij de rozentuin waarvan ik niet wist dat die bestond. Daar komt bijna niemand. Het was zonnig en stil en we zaten op een blauwe bank en Martha kuste me. Ik legde mijn hoofd in haar schoot en keek door de bomen omhoog naar de lucht en ze streelde mijn haar.

Ze vroeg me één ding, iets vaags. 'Vertel me eens iets over jezelf wat niemand anders weet.'

Dat was niet moeilijk. Ik had veel waaruit ik kon kiezen. Dat zei ik tegen haar. Ik zei dat ik geen echte prater was en zij zei: 'Tegen mij wel.'

Dus vertelde ik. Over pap. Over mam en Bob en Jed en Mercy en Phlox en Norman.

En over Violet.

'Violet Park?' zei ze. 'De pianiste? Mijn vader heeft een plaat van haar. Toen ik klein was heb ik steeds opnieuw naar *De laatste sluier* gekeken, alleen maar vanwege haar handen.'

'Net vogeltjes,' zeiden we tegelijkertijd.

Ik wilde meteen met haar trouwen.

VIJFTIEN

In de tijd dat Phlox nog in het ziekenhuis lag, ging ik met Norman langs Violets huis. Ik was het niet van plan. Jed, Norman en ik lieten Jack uit op de heuvel en toevallig gingen we die kant op, meer niet.

In de straat liep ik achter hen, omdat ik Jack aan de riem had en die was gestopt om voor de zevenendertigste keer aan iets interessants onzichtbaars te snuffelen, en toen ze langs haar huis liepen dacht ik dat ik Norman tegen Jed hoorde zeggen: 'Violets huis, naar links kijken', en ik zei: 'Wat?'

Ze hielden stil en ik vroeg weer, luid en een beetje agressief: 'Wat zei je daar?' en Norman keek mij aan en Jed keek naar zijn voeten.

En toen zei Norman heel duidelijk: 'Dit is het huis van Violet, de dame van wie je de as hebt gevonden. De pianiste.'

Alles werd stil en ik was ineens heel ver weg en zag Norman door een telescoop.

Ik zei: 'Hoe weet jij dat?' (Want, neem me niet kwalijk, hoe waarschijnlijk was het nou helemaal dat Norman er iets vanaf wist?) en hij zei: 'Dat weet ik omdat je vader hier altijd kwam.'

Norman heeft een manier van praten waarbij hij nauwe-

103

lijks zijn mond beweegt en hij heeft een heel lage en zachte stem. Hij heeft een grote oude vlekkerige snor, die op en neer wipt zodat door zijn nauwelijks bewegende mond zijn heel zachte woorden soms bijna niet te verstaan zijn. Ik spoelde terug om het nog eens te controleren en weer luisterde ik en ik hoorde: 'Omdat je vader hier altijd kwam.'

Ik wist niet of ik hem moest geloven of gewoon in lachen uitbarsten.

Hoe konden Violet Park en mijn vader nou ook maar iets met elkaar te maken hebben?

Voor zover ik wist waren de enige plekken waar ze ook maar enigszins met elkaar in verbinding stonden Phlox' schoorsteenmantel en mijn eigen hoofd. Maar er was iets met de manier waarop Norman naar me keek, alsof hij lange tijd niet in zijn eigen lichaam had gezeten en als zichzelf uit zijn ogen had gekeken, maar alsof hij deze keer precies wist wat hij zei en wilde dat ik dat in de gaten had.

Dus zei ik: 'Waarom ging Pete bij Violet langs?'

Jed gaf antwoord. Jed, verdomme, mijn broertje van vijfenhalf, dat ineens dingen scheen te weten die ik niet wist over een vader die hij nooit had gezien. Hij zei: 'Hij schreef een boek over haar.' Hij had nog steeds Normans hand vast en keek naar hem op terwijl hij dat zei.

Daarna was het even stil terwijl we samen naar Norman keken, en toen zei Norman: 'Wie? Wie schreef er een boek?'

'Waarom heb je me dat niet eerder verteld, opa?' vroeg ik.

Norman haalde zijn schouders op, begon weer te lopen en zei: 'Eerder dan wat? Waar heb je het over, Lucas?'

En daar bleef het bij.

Toen we bij het park kwamen, liet ik hen vijf minuten

alleen met de hond en belde Bob op mijn mobiel. Ik draaide er niet omheen en zei alleen maar: 'Weet jij iets over Violet Park?'

Bob bleef een tijdje doodstil en toen zei hij: 'Wel iets. Waarom?'

'Kende mijn vader haar?' vroeg ik.

Bob moest half lachen en half zuchten over de telefoon. Ik hoorde aan zijn ademhaling dat hij iets achterhield. 'Van wie heb je dat?'

'Norman,' zei ik. 'Dus het kan uit zijn duim gezogen seniele onzin zijn of het is waar. Ik zou het niet weten.'

'Het is waar,' zei hij nadat het weer een tijdje stil was geweest. 'Ja, je vader kende Violet heel goed.'

Ik ging in het lange gras liggen met de mobiel nog aan mijn oor en keek naar de lucht (wisselende bewolking, een vogel, een vliegtuig) en concentreerde me op mijn ademhaling.

Bob vroeg: 'Wat heeft Norman nog meer gezegd?'

'Niet veel,' zei ik. 'Toen kwam de mist weer opzetten.'

Bob zei: 'Wil je langskomen?' en ik knikte omdat ik vergat dat hij me niet kon zien.

'Ik moet eerst de hond uitlaten,' zei ik.

Een poos zat ik naar die twee te kijken, mijn opa en mijn broertje. Ik bleef in het lange gras liggen en bekeek ze van een afstand.

Ik heb al eerder verteld dat ze graag met elkaar optrokken, maar ik realiseerde me nu pas dat ze altijd al een duo hadden gevormd. Voor de eerste keer had ik een glimp opgevangen van hun wereld vol geheimen. En ook al heb ik eerder gezegd dat ik vermoedde dat Norman meer wist dan hij liet merken, ik heb nooit gedacht dat ik gelijk had.

Voor Violets huis hadden ze er alle twee schuldbewust uitgezien. Anders kon je het niet omschrijven.

Nu begrijp ik ook waarom ze altijd samen zijn. Ik heb er veel over nagedacht.

Als hij bij Jed in de buurt is, kan Norman nog steeds af en toe de bazige oude man uithangen die hij geweest zou zijn als al die kleine beroertes niet jarenlang stukjes van hem hadden afgebikt.

En Jed heeft toch nog een soort band met die onbekende vader van hem.

Ik had er geen idee van hoe moeilijk het zou zijn om informatie uit een dementerende man los te krijgen via het hoofd van een vijfjarige jongen. Norman en Jeds gezamenlijke versie van wat dan ook is zo vervormd dat niet meer is na te gaan wat er echt is gebeurd. Alsof je een steen door een zeef duwt, en dat twee keer.

Jed wist waarschijnlijk dat ik hem in het nauw zou drijven met een heleboel vragen waar hij geen antwoord op wilde geven. Hij slaagde erin om me een paar uur te ontwijken door naar een vriendje te gaan en daarna heel druk samen met mam te gaan zitten lezen, om vervolgens helemaal in beslag te worden genomen door een video die hij misschien al dertien keer had gezien en waarover ik hem zeker weten heb horen zeggen dat die stom was en voor baby's.

Het was weer eens wat anders, omdat hij thuis meestal met mij optrekt, dus miste ik hem bijna.

Uiteindelijk gaf hij zich gewonnen en mocht ik hem ondervragen.

Ik zei dat we 'Good Cop, Bad Cop' gingen spelen. Hij heeft al eens *The Bill* op tv gezien, dus wist hij wat hij kon verwachten. Ik kreeg zijn politiepet en hij had plastic handboeien om. Ik nam het verhoor op.

Ik: Dit is agent Lucas Swain, maandag 3 oktober, 18:04 uur, die de verdachte, Jed de Huilebalk, ook wel bekend als Zwarte Jed, ondervraagt. De band loopt. Zwarte Jed, vertel eens wat je weet over Norman Swain alias Gekke Norm?

Jed: Dat is mijn opa.

Ik: Twee meestercriminelen in de familie. Wat heeft Gekke Norm je allemaal bijgebracht?

Jed: (Fluisterend) Je moet hem niet gek noemen, Lucas.

Ik: (Fluisterend) Sorry.

Ik: Goed, wat heeft hij je verteld?

Jed: Waarover?

Ik: Laten we bij zijn zoon beginnen, Pete Swain, de onzichtbare man.

Jed: Pap was niet de echte zoon van opa. Wist je dat?

Ik: Heeft hij je dat verteld? Ik wist niet dat Norman dat wist. Ik dacht dat hij het vergeten was.

Jed: Soms weet hij het weer.

Ik: En hij heeft het aan jou verteld. Vindt hij het erg?

Jed: Nee. Hij zegt dat hij een goede vader is geweest... Hij heeft veel met pap gespeeld.

Ik: Hij speelt ook veel met jou, ook al is hij niet onze echte opa.

Jed: Wel waar. Hou je mond, Lucas.

Ik: Wil je een advocaat?

Jed: Krijg ik daarna nog steeds snoep van je?

Ik: Ja. Weet Norman waar pap nu is?

Jed: Ik denk van niet.

Ik: Heb je het wel eens gevraagd?

Jed: Nee. Dat zou ik kunnen doen.

Ik: Het proberen waard, zou ik zeggen.

Jed: Weet ik niet.

Ik: Wat heeft hij je over pap verteld?

Jed: Een hele hoop.

Ik: Zoals? Noem vijf dingen.

Jed: Zijn tweede naam was Anthony. Opa kende pap vanaf dat die zes was, bijna net zo oud als ik, en ze gingen naar de kermis en opa won een goudvis voor hem, die is doodgegaan. Hij at het liefst warme kastanjes. Opa heeft hem leren vissen en fietsen en dat gaat hij mij ook leren. Ben ik al bij vijf?

Ik: Nee, je bent bij vier. Nog één.

Jed: Hij had heel veel vriendinnetjes, maar dat snap ik pas als ik ouder ben, denkt hij.

Ik: Heeft opa je ooit geheimen over pap verteld die je aan niemand mocht vertellen?

Jed: Wat, zoals dat hij aan opa vertelde dat hij wegging voor hij wegging?

Ik: Heeft hij dat gedaan? Jezus!

Jed: Nee. Ik weet het niet. Misschien.

Ik: Godallemachtig, Jed!

Jed: Is dat vloeken?

Ik: Wat?

Jed: Is poep vloeken?

Ik: Niet echt.

Jed: Mam zegt van wel. Blootzak ook.

Ik: Wat is een blootzak?

Jed: Dat roept mam tegen mensen als ze autorijdt.

Ik: Oké, Jed, kunnen we het nog even over pap hebben? Dit is heel belangrijk.

Jed: Opa zegt dat pap een blootzak was.

Ik: O, ja? Waarom?

Jed: Soms denkt hij dat ik pap ben. Dan zegt hij Peter tegen me. Soms weet hij weer dat pap er niet meer is. Soms denkt hij dat jij pap bent.

Ik: Ja, dat weet ik.

Jed: Een paar dagen geleden in het park dacht hij dat jij pap was en noemde hij jou een blootzak. Kun jij dit losmaken? Ik moet naar de wc.

Ik: Waarom zei opa dat tegen me?

Jed: Dat zeg ik toch? Omdat hij dacht dat jij pap was.

Ik: Nee, weet ik, ik bedoel: waarom zei hij dat tegen pap?

Jed: Dat heb ik hem gevraagd. Hij zei: kies maar een reden. Deed pap dat voor zijn werk?

Ik: Wat?

Jed: Mensen de hele dag achternalopen en zoveel vragen stellen?

Ik: Weet ik niet, misschien.

Jed: Ik vind het saai. Ga maar dingen aan Mercy vragen.

Ik: Mercy is uit.

Jed: Ga opa maar vragen.

Ik: Doe ik.

Jed: Die houdt van cassetterecorders.

(Interview gestaakt om 18:12 uur)

ZESTIEN

Het valt me op dat het enige wat de meeste mensen, zo gauw ze volwassen zijn, doen, is zich richten op iets onmogelijks en dan daarnaar blijven hunkeren.

Dat heb ik met pap, en met Violet.

Mam heeft het met wat ze niet allemaal had gekund als ze haar leven over kon doen.

Bob heeft dat met mam, volgens Mercy.

Ed heeft het met zijn moeder op stang jagen en met seks.

Mercy heeft het met Kurt Cobain en borstvergroting en geestverruimende middelen.

Phlox heeft het met haar encyclopedievertegenwoordiger en met haar zoon en met een of andere pre-seniele versie van Norman.

Norman heeft het met zijn verleden, dat hij niet helemaal meer kan vatten.

Violet heeft het na haar houdbaarheidsdatum met iets waar ik nog niet achter ben.

De enige die het niet heeft, is Jed.

Hij leeft alleen in de tegenwoordige tijd. Ik denk niet dat hij veel snapt van dingen als verleden of toekomst. Hij struikelt al over vandaag en morgen en gisteren. Jed zegt

111

gisteren als hij een halfjaar geleden bedoelt en morgen als hij niet nu bedoelt. Daar komt bij dat als je met Jed ergens naartoe gaat, hij prompt vergeet dat je onderweg bent van A naar B. Hij kijkt eindeloos lang naar slakken, en besteedt veel tijd aan kiezels oprapen en stilstaan om de borden langs de weg te lezen.

Jed heeft geen notie van tijd en dat betekent dat hij nooit langer dan vijf minuten ergens verdrietig of boos over is. Hij kan het gewoon niet zo lang vasthouden. Vijf minuten staat voor hem gelijk aan een jaar.

En het probleem met de rest van ons gezin is dat we allemaal zo bezig zijn met onze eigen ellende en depressie en met wat er allemaal niet kan dat we het normaal zijn gaan vinden en het op een vreemde manier geruststellend werkt.

Ik bedoel, hoe fijn zouden we het echt vinden als pap morgen opdook en weer deel van het gezin werd?

Zou iedereen dat niet een beetje irritant vinden?

Alsof er een vreemde in huis was, een nieuwe kamerhuurder.

Het zou heel gek zijn.

Er moet een moment zijn waarop het onmogelijke waarnaar je verlangt, verandert in het laatste wat je zou willen dat er gebeurde, zonder dat je er iets van merkt.

Op de dag dat Phlox uit het ziekenhuis kwam wachtte ik met Norman tot mam haar zou afzetten. Norman zat aan de keukentafel een stuk papier heel klein op te vouwen en ik waste kopjes af en zette de vuilnis buiten (voor het grootste deel chocoladewikkels). Ik was me er vaag van be-

112

wust dat als ik Norman iets wilde vragen waar ik een eerlijk antwoord op wilde hebben, dit het geschikte moment
was. Ik denk dat hij ernaar verlangde om niet zo op zijn
hoede te hoeven zijn en waarschijnlijk alleen maar in zijn
stoel wilde dutten en een beetje wandelen met de hond,
net als eerst, veilig in de wetenschap dat die tenminste
nog wist wie hij was.

Eerst kuchte ik om de stilte te verbreken.

'Heb jij Violet Park ooit ontmoet, opa?'

Hij keek me even aan alsof hij niet had beseft dat ik er
was en ik dacht: nee, het is te laat, hij is het weer aan het
vergeten. Toen zei hij: 'Nee, je vader kende haar, al heeft
het hem weinig goeds opgeleverd.'

'Waarom zeg je dat?'

'Het was een mannenverslindster,' zei Norman.

Ik kreeg een beeld van Violet die mijn vader in één keer
naar binnen schrokte. Dus daar was hij gebleven. 'O ja?'

'Mannen van andere vrouwen als ontbijt, middag- en
avondeten,' zei hij.

'Maar pap toch niet?' zei ik.

Norman haalde zijn schouders op. 'Op het eind waren
ze de beste maatjes.'

'Het einde waarvan?' vroeg ik, maar Norman zei niets.

'Heeft pap tegen jou gezegd dat hij wegging?'

Norman keek me doordringend aan en vroeg: 'Denk jij
dat ik me zoiets niet zou herinneren?'

'Ik weet het niet, opa,' zei ik, wat een leugen was.

'Denk jij dat ik iedereen zich van alles in zijn hoofd zou
laten halen en in onzekerheid zou laten zitten, als ik het
wist?' vroeg hij en ik schudde mijn hoofd en zei: 'Nee',

maar ik zag aan zijn gezicht dat hij wist dat hij het zich niet kon herinneren.

Ik had echt met hem te doen. Voor ons was het anders. Wij wisten niet waar pap was en daar bleef het bij, simpel. Maar Norman zou zich altijd blijven afvragen of hij het wist. Stel je voor dat je iets weet wat je heel graag wilt weten en wat je hele familie heel graag wil weten en dat je er niet op kunt komen en je alleen maar kunt afvragen of je het weet of niet.

Mam arriveerde met Phlox en zei dat ze om de een of andere reden niet kon blijven. Ze reed heel snel weer weg, alsof ze niet wist hoe gauw ze weg moest komen. Phlox was gekrompen en zo broos als een poppetje. Ik schrok een beetje van de gedachte dat ze binnenkort net als Violet in een urn zou zitten. Norman en ik stortten ons op haar en liepen zenuwachtig om haar heen tot ze ons van zich af sloeg. Ik ging naar de keuken om thee voor hen te zetten, en toen ik terugkwam hielden ze boven de kloof tussen hun luie stoelen zwijgend elkaars hand vast.

Phlox' handen leken op vogelklauwtjes. Haar botten schenen door haar vel heen en haar aderen waren donkerblauw met elkaar verknoopt. Haar nagels moesten nodig geknipt worden. Ze zag eruit alsof ze van papier was.

Ze merkte niet eens dat Violet weg was. Ze zat naar paps foto op de schoorsteenmantel te kijken en zag de nieuwe lege plek daarnaast niet.

'Ik had nooit gedacht dat ik dood zou gaan voor hij terugkwam,' zei ze tegen niemand in het bijzonder, en niemand in het bijzonder zei iets terug, want wat konden we zeggen?

'Ik ben zo in hem teleurgesteld, Lucas,' zei Phlox tegen

mij, terwijl de tranen over haar wangen rolden, als volmaakte dauwdruppels die haar rimpels uitvergrootten.

Ik had haar in vijf jaar tijd nooit één woord ten nadele van pap horen zeggen. Daar kon je van op aan bij Phlox.

'Ik ook,' zei ik.

De verandering in Phlox bezorgde me koude rillingen. Alsof iemand haar had stukgemaakt. Ze was nog geen twee weken weg geweest en was verslagen teruggekomen.

Toen begon Phlox over begrafenissen. Ze zei dat ze wist dat ze binnenkort zou gaan en ze wilde er iets over te zeggen hebben hoe ze ging, zodat ook al zou pap er naar alle waarschijnlijkheid niet bij zijn ze toch iets had om naar uit te kijken. Ik beloofde haar dat ik ervoor zou zorgen, zelfs al zou ze een rijtuig met paarden willen en een stenen engel van vier meter als grafsteen. Maar Phlox wil een heel eenvoudige dienst. Ze wil begraven worden (geen crematie) in Wales, in het dorpje waar ze is opgegroeid. Haar moeder ligt daar begraven en haar vaders naam staat ook op de grafsteen, maar zijn lichaam is in de mijn waar hij gestorven is in steenkool aan het veranderen, zegt ze. Ze zegt dat ze ook een plek voor Norman wil, naast die van haar, want ze zou zich alleen maar zorgen maken als ze hem niet in het oog kon houden.

Martha zegt dat ze een begrafenis wil als bij de Noormannen. Dat betekent dat ze in een doek gewikkeld wil worden die doordrenkt is met olie en in een langwerpige boot naar zee geduwd wil worden. Daarna wil ze dat er een vuurpijl op haar lichaam wordt afgeschoten, dat in brand zal vliegen en tot as zal vergaan voor het door het water wordt verzwolgen.

Ik hoop er niet bij te zijn.

Martha's vader is antropoloog, wat wil zeggen dat hij kijkt hoe mensen zich in verschillende groepen en culturen gedragen, en hij weet van alles over begrafenissen en zegt dat ze over de hele wereld verschillend zijn. Het schijnt dat er talloze manieren zijn om afscheid te nemen.

In Bali (geloof ik) blijft het lichaam een tijdje boven de grond staan bederven voor het met bloemen wordt versierd en met een fakkel wordt aangestoken. Als het vuur gedoofd is moet de familie de botjes bij elkaar graaien en in de oceaan gooien. Het is wat je noemt een doe-het-zelf-begrafenis. En op een andere plek, ik geloof ergens in China, wordt het lichaam lang na de begrafenis, als iedereen is opgehouden met treuren en rouwen, gewoon weer opgegraven en wordt er een feestje gegeven met de botten om te laten zien dat het goed met je gaat en je eroverheen bent en dat soort dingen. Het is maar goed dat ze daar geen met lood gevoerde kisten hebben. Martha zegt dat als je in een met lood gevoerde kist begraven wordt er geen lucht bij kan en je niet naar buiten kunt sijpelen, dus dat je dan soep wordt.

Martha's moeder wil in de een of andere vorm uitgestrooid worden over de Ganges in India, maar waarschijnlijk zal ze genoegen nemen met New Forest. Ze zegt: 'In tegenstelling tot wat wij in het Westen doen, de dood wegmoffelen, hebben hindoes een heel gezonde instelling ten aanzien van doodgaan, omdat ze het eerder hebben gedaan en het weer zullen doen.' Ik denk dat bij reïncarnatie doodgaan niks voorstelt, zolang je je maar goed hebt gedragen en niet terugkomt als een pimpelmees of een mestkever.

Martha's vader en moeder heten Oliver en Wendy. Ik heb ze ontmoet toen ik daar zondag ging lunchen. Om te beginnen was ik al zenuwachtig omdat ik nog nooit 's zondags bij iemand ben gaan lunchen. Ik heb waarschijnlijk te veel gepraat en zo interessant kan het niet geweest zijn, omdat ik over alles veel minder weet dan zij, maar ze wilden me graag aardig vinden. Ongeveer halverwege het toetje besefte ik dat ik me best thuis voelde.

Martha had gelijk over haar moeder. Ze maakte me zo aan het lachen dat het bier bijna door mijn neus naar buiten spoot. En ik zou nooit geweten hebben dat ze een pruik droeg. Nog in geen honderdduizend jaar.

ZEVENTIEN

Ik sleepte mijn oude cassetterecorder mee naar Bob en samen luisterden we naar het 'Good Cop, Bad Cop'-vragenspelletje. Hij schoot ervan in de lach en zei dat Jed vroegrijp was en genoot van zijn orakelrol, wat dat ook mag betekenen – iets met het doorsluizen van Gods woorden, of in dit geval die van Norman.

Ik kon merken dat hij erachter probeerde te komen hoeveel ik wist en hoeveel hij me moest vertellen. Hij was beslist op zijn hoede en een beetje achterdochtig. Zoiets had ik niet van Bob verwacht, dus ging ik me ook zo gedragen.

En er was één ding wat ik heel zeker wist en Bob niet.

Violet lag op dit moment begraven in een plastic zak in een rugzak, drie meter van de plek waar wij zaten.

Om de een of andere reden voelde dat als vier azen in je hand hebben bij een kaartspel.

Ik vroeg Bob of hij Violet ooit had ontmoet en hoe vaak en wat voor iemand ze geweest was.

Hij vertelde dat pap en hij samen Violet voor het eerst hadden ontmoet toen ze haar gingen interviewen voor een artikel over filmmuziek. Het was aan het begin van hun loopbaan, toen ze alles aanpakten wat ze konden krijgen, en Bob was met pap meegegaan om foto's te maken.

Hij vertelde dat ze Violet 'de Technicolor-dame' noemden omdat ze vuurrood haar had, bloedrode lippenstift op had en felroze, groene en paarse kleren droeg. Bob zei dat ze toen een kater hadden en alle twee zo lang mogelijk hun zonnebril op hielden omdat Violet pijn deed aan hun ogen.

Hij vertelde dat ze hun om elf uur 's ochtends cocktails met cognac schonk en verhalen vertelde die niet voor herhaling vatbaar waren, over beroemde, rijke lui.

Ze waren te dronken om het artikel voor elkaar te krijgen.

Dus moesten ze wel terug.

De tweede keer waren ze veel zakelijker ingesteld en dronken maar twee of drie cocktails, noteerden alles en gingen met de camera aan de slag. En toen ze bij de voordeur stonden om te vertrekken, keek ze pap aan – echt alleen naar pap volgens Bob – en zei: 'Wie van de twee heren voelt ervoor met mij uit eten te gaan aanstaande vrijdag?'

En pap had lachend gezegd: 'Ik.'

Ik vroeg Bob of hij nog foto's van die klus kon opduikelen en hij keek me wezenloos aan en mompelde toen iets van dat hij niet zeker wist of hij die nog had, maar evengoed deed hij net of hij ernaar op zoek ging. Hij begon tijdens ons gesprek laden open te trekken en in dozen rond te graaien, waardoor het makkelijker was om vragen te stellen omdat hij me niet steeds recht zat aan te kijken.

Dus vroeg ik: 'Had pap echt een afspraakje met Violet, zoals je met een vriendinnetje hebt?' en Bob zei: 'Dat zou aardiger van hem geweest zijn.'

Ik zei: 'Hoe bedoel je?' en Bob vertelde dat pap Violet jarenlang aan het lijntje had gehouden en haar altijd zoveel hoop had gegeven dat ze hem geld gaf of een pak voor hem kocht of hem mee uit eten nam of dat soort dingen. Hij sloeg niks af, maar maakte de verwachtingen ook nooit waar.

Bob zei: 'Jouw vader kon "Ik hou van je" tegen een vrouw zeggen zonder met zijn ogen te knipperen, of hij het nou meende of niet. Meestal niet. Hij zei dat het dé manier was om voor hetzelfde geld alles van de meisjes gedaan te krijgen.'

En afgaand op paps succes bij de andere sekse, zei Bob, werkte zijn theorie.

Mijn vader de versierder. Ik was best onder de indruk en tegelijk een beetje geschokt.

'Maar waarom is hij dan met mam getrouwd?' vroeg ik, 'als hij Violet had om van alles voor hem te betalen en hij meisjes genoeg kon krijgen?'

'Jouw moeder stak daar met kop en schouders bovenuit,' zei Bob. 'Ze was mooi en grappig en slim en ze had totaal geen belangstelling voor je vader.' En hij gooide een foto naar me toe van mam toen, misschien twintig jaar geleden. Het was grappig haar zo te zien, ze was het en ze was het niet, dezelfde persoon maar niet degene die ik kende. Ik moest toegeven dat ze een lekker ding was.

'Ze mocht hem niet eens,' zei ik.

'Eerst niet, maar hij heeft hard zijn best gedaan. Hij hield namelijk van je moeder.'

'Ja, dat hebben we gemerkt!'

Daar zei Bob niks op.

Ik zei: 'Dus pap trouwde met mam en zag Violet toen niet meer, en toen verdween hij en ging zij dood en dat was het?'

Bob schudde zijn hoofd. Hij zei: 'Ze hebben elkaar jaren niet gezien en toen heeft Violet blijkbaar contact gezocht en je vader gevraagd om haar te helpen bij het schrijven van haar biografie.'

'Helpen?' vroeg ik.

'Ja, als een zogenoemde ghostwriter.'

'Dat heeft hij volgens mij een beetje al te letterlijk opgevat,' zei ik en we lachten allebei als een boer die kiespijn heeft.

'Hij was er nog niet ver mee toen Violet stierf,' zei Bob en toen pakte hij een oud vel met contactafdrukken en bleef ernaar staan kijken.

Ik vroeg of hij de foto's had gevonden en hij gaf het aan mij: kleine zwart-wit-opnames, vierentwintig stuks in drie rijen van acht. Kleine Violetjes en kleine vadertjes, poserend en grijnzend en met zonnebrillen op. Pap droeg een overhemd dat ik thuis nog steeds in de kast heb hangen. Hij had donkerbruin, warrig haar net als ik. Hij zag er jong en gelukkig uit. Het verbaasde me hoeveel hij op mij leek. En toen drong het tot me door.

Misschien dacht Violet dat ik mijn vader was.

Had ik haar daarom in de taxicentrale zien staan en had ze daarom met haar dode armen naar me gezwaaid om mijn aandacht te trekken?

Dacht ze dat ik Pete was?

Ik wilde niet dat ze dat dacht. Ik wilde dat ze dacht dat ik mij was.

ACHTTIEN

Ik was niet in de stemming voor Mercy toen ik binnenkwam.

Ze hield me staande in de gang, als een agressieve regel-
tante die op haar strepen staat.

Ze zei dat ze eens ernstig met me moest praten over
mam.

Mercy's ernstige gesprekken betekenen meestal dat er
eindelijk iets tot haar is doorgedrongen waar wij ons al
maanden van bewust zijn. Meestal worden die gesprekken
in haar kamer gevoerd, duren ongeveer twee minuten en
zijn klinkklare onzin.

Met opgetrokken schouders en expres bonkend op de
trap liep ik achter haar aan naar boven, waar ze de deur
achter me dichtdeed.

'Mam gaat helemaal niet lekker,' zei ze. 'We moeten er
iets aan doen.'

'Zoals?' zei ik, alsof het me onverschillig liet.

'Ze is depressief, Lucas, heb je dat niet gemerkt?'

Tot nu toe heb ik niet veel over Mercy verteld. Niet veel
goeds, in elk geval. In het normale leven gaan we eigenlijk
altijd zo met elkaar om. We zien elkaar nauwelijks, misschien op schooldagen aan het ontbijt (behalve dat zij

amper iets eet en altijd naar boven verdwijnt om zich op te maken) of 's nachts op de trap als zij thuiskomt en ik nog op ben. We besteden niet meer dan vier woorden aan elkaar en daarvan zijn de meeste nog sarcastisch.

Hoe dan ook, mijn vreemdeling van een zus stond tussen mij en de deur met haar handen in haar zij en was duidelijk uit op ruzie.

Ze zei het nog een keer, maar met meer verontwaardiging: 'Heb je niet gemerkt dat mam depressief is?'

Ik wilde van alles zeggen. Ik wilde zeggen dat ik het natuurlijk had gezien, verdomme, en dat het misschien te maken had met haar man die haar met twee tieners en een baby had laten zitten, waardoor ze geen tijd voor zichzelf had en er geen sociaal leven op na hield, en dat het te maken had met haar voortdurende wens dat ze een andere keuze had gemaakt en nooit kinderen had gekregen. Ik had kunnen zeggen dat ik goed op de hoogte was van mams problemen, omdat ik haar dagboek jatte en las, maar dat zei ik allemaal niet.

Ik zei: 'Nee.'

Ik weet niet waarom. Misschien was ik ook uit op ruzie.

Mercy wierp haar armen omhoog en begon tegen me te schreeuwen: 'Wat ben jij een egoïst en wat maak jij je overal makkelijk vanaf! Moet ik dan in mijn eentje voor iedereen in dit stomme gezin zorgen?'

Ik zei dat het me niet was opgevallen dat ze voor iemand anders dan zichzelf zorgde, wat waar was, maar niet het goeie moment om het te zeggen. Ik dacht dat ze me ging slaan.

'Wanneer word jij eens wakker, Lucas?'

'Rond een uur of elf,' zei ik. Ik kreeg er lol in. Ik had zin om dwars te zijn.

'Ze heeft een vreselijke vriend, ze wordt dik, ze drinkt te veel en ze huilt in de badkamer als ze denkt dat wij tv-kijken,' zei Mercy. 'Je gaat deze kamer niet uit voor we er iets op gevonden hebben.'

'Waarom bied je niet aan om op Jed te passen? Of ga eens een keer bij Phlox langs of met Norm en de hond wandelen of doe eens boodschappen,' zei ik, op een toon waarin doorklonk dat ik die dingen allemaal wel deed.

'Dat is het niet alleen,' zei ze.

'Nou, eens kijken,' zei ik en tegen die tijd was ik behoorlijk pissig over alles en iedereen, want anders had ik het niet gezegd. 'We zouden terug in de tijd kunnen gaan en tegen haar zeggen dat ze niet met pap, die ze niet eens mocht, in bed moet duiken, of niet zwanger van jou moet worden zodat hij met haar moet trouwen, dat ze eigenlijk geen van ons hoeft te krijgen, en wat hebben we nog meer?'

Mercy probeerde er een woord tussen te krijgen, maar ik was zo gespannen als een veer en kon niet stoppen.

'O! We zouden pap voor haar kunnen gaan zoeken, waar hij verdomme ook maar uithangt, en dan zou ze van hem kunnen scheiden en hertrouwen met die andere lul, die tekenleraar, en net doen of ze de draad weer oppakt! Zo goed?'

Toen wrong ik me langs Mercy naar de deur, deed die open, en daar stond mam in de gang te luisteren.

Even dacht ik dat ze net zou doen alsof er niks was gebeurd, wat een opluchting geweest zou zijn, maar ze zei: 'Ik heb de draad toch weer opgepakt? Wie zegt er van niet?'

Op hetzelfde moment dat ik 'Mercy' zei, zei Mercy 'Lucas', waardoor we alle twee voor gek stonden en schuldbewust overkwamen.

'Nou, kom maar met een voorstel,' zei ze, en ze liep naar binnen en ging op Mercy's bed zitten. Ze was laaiend. Het leek alsof ze ons op ons nummer wilde zetten.

'Kom op dan!' zei ze. 'Als je achter hun rug om over mensen wilt praten, moet je ook het lef hebben om het in hun gezicht te zeggen.' Ik keek naar Mercy, die nergens naar keek en duidelijk niet als eerste met iets zou komen, en ik zei: 'Je zou meer de deur uit moeten gaan', wat zwak was.

Mam glimlachte heel onvriendelijk.

Toen zei ik: 'Je zou terug naar de universiteit kunnen gaan en afstuderen. Je bent slim', wat betuttelend klonk maar niet zo bedoeld was.

Mam knikte.

'Je zou in je eentje op vakantie kunnen gaan.'

'Te gek,' zei mam, maar ze bedoelde het tegenovergestelde.

'We zouden kunnen verhuizen,' zei Mercy.

'Je moet je huwelijk nietig laten verklaren en met dinges trouwen,' zei ik.

'Met de lul?' vroeg mam.

'Je zou het huis kunnen opknappen,' zei Mercy. 'Hou een grote schoonmaak en breng paps spullen naar de stort. Je zou het huis kunnen verhuren. Of verkopen.'

Mam stak haar hand op om ons het zwijgen op te leggen. Ze lachte naar ons op een manier die me echt verdrietig maakte.

'Jongens, denken jullie dat ik daar niet over heb nage-

126

dacht, aangezien teruggaan in de tijd nog steeds niet mogelijk is?' Ze keek kwaad naar mij toen ze dat zei.

Als een stel idioten haalden we tegelijk onze schouders op.

'En weten jullie waarom ik het niet heb gedaan?'

Ik zei nee, maar Mercy hield haar mond en allebei keken ze naar mij. Plotseling begreep ik wat eraan zat te komen.

'Lucas,' zei mam doodkalm. 'Weet jij waarom ik niet ben verhuisd of hertrouwd of op vakantie ben gegaan? Waarom ik nog geen paar schoenen of een ansichtkaart van je vader heb weggegooid?'

Op dat moment wilde ik dat ik ergens anders was. Ik wist niet wat ik tegen haar moest zeggen. Hadden ze het hier eerder over gehad toen ik er niet bij was? Mercy haalde opgelucht adem, zij was buiten schot en ik kreeg de volle laag.

'Kijk eens naar jezelf,' ging mam ingehouden tekeer. 'Haal de balk uit je eigen oog voor je op slaapkamers samenzweert over de splinter in dat van mij en me verdomme de les leest over dat ik de draad weer moet oppakken. Dacht je dat ik daar de moed voor had?'

Waarschijnlijk verwachtte ze een antwoord van me, maar ik haalde mijn schouders op.

'Je bent een dweper, Lucas,' zei ze. 'Je bent een wandelende relikwiekast van je vader.'

Ik zei niets. Mercy staarde me aan. Ik vroeg me af of dit al die tijd haar bedoeling was geweest.

Ik pakte Bobs oude foto van mam uit mijn zak en stopte die mam in haar hand. Ik wilde dat ze hem zag en zich herinnerde hoe jong en gelukkig en prachtig ze was geweest toen ze er uit vrije wil voor koos om met pap te trouwen en ons te krijgen.

Ze keek ernaar en gaf me toen een kus op mijn wang en zei: 'Morgen houden jij en ik een grote schoonmaak en brengen zijn spullen naar de vuilnisbelt. Discussie gesloten.'

Ik had er een rotgevoel over dat ze ons op die manier over haar had horen ruziemaken. Ik schaamde me. Ik wilde alles ongeveer vijf minuten terugspoelen en zorgen dat ze alleen maar goede dingen over zichzelf te horen kreeg, omdat mensen die nooit per ongeluk over zichzelf horen. Het zijn altijd de negatieve dingen waar mensen toevallig tegenaan lopen, en afgekraakt worden door je eigen kinderen zal wel pijn doen.

Een tijdje stak het wat mam had gezegd, dat ik een dweper was en een wandelende relikwiekast. Maar eigenlijk kon ik het haar niet kwalijk nemen. Ze had gelijk.

Wat zou er gebeurd zijn als ik toen had gezegd dat ik pap begon te zien zoals hij was? Ze zou er niet blij van zijn geworden. Ik denk dat het hartverscheurend zou zijn geweest.

Ik was de laatste die op hem bleef wachten, dat was het punt. Zonder mij had hij niemand meer van ons.

Iemand moest het doen.

Als een gezin uit elkaar valt, komt het weer bij elkaar door wat het mist. Toen pap vertrok, was wat ons bond het ontbreken van een vader, het feit dat we hem misten, aan hem dachten, zijn gezicht zochten in de massa.

Op een rare manier was de leegte die hij achterliet tegelijkertijd het bindmiddel.

Daardoor trokken we naar elkaar toe, het maakte ons anders, gaf een band, denk ik.

We moesten er stukje bij beetje overheen komen en niet allemaal tegelijk, want dan hadden we het misschien niet gehouden.

Iemand moest de laatste zijn die het opgaf.

Dat had ieder van ons kunnen zijn.

Maar ik was het.

NEGENTIEN

Als ik geen ruzie met Mercy en mijn moeder had gehad,

áls mam niet had besloten me te confronteren met het feit dat het blijkbaar vooral aan mij lag dat niemand de draad weer oppakte sinds pap weg was,

áls ik niet ruw was overgehaald om te helpen bij het verwijderen van alle sporen van hem in huis,

áls ik niet kromgebogen op zolder had gezeten, grijs stof had ingeademd, splinters in mijn lijf had gekregen en gedwongen was geweest om de ene dierbare doos na de andere met mijn vaders boeken, dossiers en papieren naar beneden door te geven aan mijn onverzettelijke moeder met het hart van steen, had ik nooit de doos gevonden met VIOLET PARK erop.

Ik maak geen grapje. Zonder na te denken probeerde ik snel overeind te komen en stootte mijn hoofd tegen een balk. Bijna ging ik met mijn voet door de vloer.

Mam riep: 'Wat? Wat is er?' maar ik piekerde er niet over om het haar te vertellen.

Ik gilde iets naar beneden over een splinter en ik moet hebben gevloekt, omdat ze reageerde met: 'Lucas! Jeds oren tuiten!' dus ik zei: 'Sorry, ik ben een blootzak', en Jed gniffelde en mam proestte het uit.

Ik schudde met de doos en daarbinnen schoof iets heen en weer wat rammelde als plastic, maar mam hoorde het niet omdat ze gilde van het lachen.

Het was een oude schoenendoos die dichtzat met plakband. Mijn handen trilden en ik probeerde aan het plakband te pulken met mijn te korte nagels, maar het was oud en versleten en zo dun dat je het bijna niet zag en het zat heel stevig vastgeplakt en ik zweette en het stof liep met de zweetdruppeltjes over mijn voorhoofd in mijn ogen en ik vloekte, heel zachtjes, fluisterend in mezelf.

Het plakband trok een stuk doos mee toen het losliet.

Ik lichtte het deksel op en daar lag een cassette. Meer niet. Eén klein cassettebandje in een doos met het cijfer 1 erop.

Ik stopte het in mijn zak.

De doos schoof ik in een hoek onder een vreselijk stoffig oud vloerkleed.

Daarna gaf ik nog een hoop dierbare troep, die wel en niet van ons was, door aan mam om weg te gooien.

Toen we paps spullen eenmaal op een hoop hadden gegooid, zaten we er een poosje naar te kijken. Jed graaide in een doos met foto's, of eigenlijk ging hij er alleen maar met zijn vinger langs en keek nauwelijks, maar hij wilde er ook min of meer bij betrokken zijn. Mercy was de deur uit omdat ze zei dat ze er geld om durfde te verwedden dat er tranen en geschreeuw aan te pas zouden komen en daar had ze echt geen behoefte aan. Ik zei dat ik dacht dat tranen en geschreeuw meer haar ding waren, en ze stak haar middelvinger naar me op voor ze de deur met een klap dichtsloeg.

Alleen al ernaar kijken was vermoeiend.

Er zat niet alleen papier in de dozen van zolder. Er zaten kleren in, platen, manchetknopen, sieraden, borstels, zonnebrillen, een gitaar en een asbak die ik van klei had gemaakt toen ik een jaar of zeven was.

Ik keek ernaar en dacht: dit is alles wat er van hem over is.

Toen stelde ik me hem ergens anders voor, met nieuwe platen, kleren, manchetknopen en kinderen die asbakken boetseerden, en ik vond hem nog steeds hetzelfde zielige mannetje, ondanks al die nieuwe spullen, de klootzak.

Ik denk dat ik me wilde wapenen.

Ik zei dat we de platen aan Bob moesten geven en mam keek bedenkelijk en vroeg of Bob ze wel zou willen, en ik zei dat er geen sprake van was dat zo'n verzameling naar de vuilnisbelt ging, dus zei ze goed, maar dan wel vandaag.

Mam zei dat ik er niet te lang over moest doen. Ze wilde de auto inladen en weg ermee, maar ik wilde de boel nalopen en goed onthouden wat er allemaal wegging. Elke keer dat ik een pleidooi hield om iets te bewaren werd ze chagrijniger.

Ik vond een fototoestel.

Ik vond een zwarte vulpen met een gouden pen en een paarlemoeren houder.

Ik vond het cassetterecordertje dat ik nodig had om het bandje van Violet Park af te spelen.

Ik mocht nog wat kleren van hem houden (twee pakken, vijf overhemden, een paar laarzen en een visserstrui).

In een zak van een colbert vond ik zijn horloge. Ik haalde het eruit, wreef met mijn duim over de wijzerplaat en was stomverbaasd dat het hier lag, omdat pap het zo goed als nooit afdeed en altijd als ik me afvroeg waar hij zou kunnen zijn, zag ik hem met dat horloge voor me. Ik kreeg het er koud van. Hij zou nooit bewust ergens naartoe gaan zonder dat horloge. Pap is dood, dacht ik plotseling. Hij is niet weggegaan en wij halen zijn naam door het slijk en smijten zijn spullen weg. Ik wond het horloge op, deed het om en trok mijn mouw eroverheen. Ik vertelde het niet eens aan mam omdat ik haar gezicht niet wilde zien als ze op dezelfde gedachte kwam.

Ik zei: 'Phlox vergeeft het ons nooit.'

Ze keek niet eens op.

Ik weet dat mam het niet echt zo bedoelde, dat hart van steen en haar laten-we-er-een-punt-achter-zetten-vertoning. Ik denk dat ze moest kiezen voor de harde lijn of voor sentimenteel gesnotter. Met sentimenteel gesnotter kom je nergens als je de troep van je verdwenen geliefde wilt opruimen met je wrak van een zoon. Dus werd het de harde lijn.

En misschien had ik haar daar dankbaar voor moeten zijn, maar ik bleef maar denken aan een derde mogelijkheid die ze niet had overwogen: de mogelijkheid om het erbij te laten zitten, om de gevoelens van ons alle twee te sparen en de boel terug te zetten en het gewoon te vergeten. De mogelijkheid om te blijven hopen.

Ik probeerde er een paar keer mee op de proppen te komen. Ik vroeg: 'Weet je dit wel zeker?' en zei: 'We hoeven dit niet te doen.' Maar mam keek me alleen maar kwaad aan, alsof ik haar ergste vrees over mij bevestigde, en ze bleef gewoon spullen in vuilniszakken dumpen.

Ik was kwaad op haar toen we bij de vuilnisbelt kwamen. Woest.

Eerlijk gezegd kon ik niet geloven dat ze het door wilde zetten. Ze stond me buiten met haar hoofd door het portierraam te smeken om haar te helpen, en ik bleef strak voor me uit kijken en keek haar niet aan omdat ik bang was dat ik haar in het gezicht zou spugen. Pal voor me hipte en dook een duif op en neer in het afval en ik keek ernaar en bedacht dat hij straks in mijn vaders persoonlijke spullen zou pikken en ik schold haar uit voor kille, verbitterde, egoïstische loserheks en wilde niet uit de auto komen. Ik maakte haar aan het huilen.

Op het laatst kwamen de kerels uit het kantoor naar buiten en hielpen haar. Ze moeten medelijden met haar hebben gekregen. Ze vonden mij een volslagen idioot, zeker weten.

Wat kon mij het schelen? Ik had het gevoel of er iemand was gestorven.

TWINTIG

Het duurde minstens een week voor ik eindelijk eens het bandje afluisterde.

Violet Park kon me geen barst schelen.

Toen mam weer in de auto stapte bij de vuilnisbelt, stapte ik uit, waarbij ik ervoor zorgde dat ze het horloge goed kon zien. Toen reed zij weg en ging ik bij paps spullen zitten om er een oogje op te houden. Er vlogen al vellen papier uit dozen, die ronddwarrelden en niet langer van hem waren. Ik was bang dat ik als ik niet oplette het gewoon afval zou worden, net als al het spul eromheen, en daar was ik nog niet aan toe. Ik dacht erover na hoe paps spullen in mijn ogen er duidelijk uit sprongen, hoe dierbaar ze waren vergeleken met al het andere spul waarvan mijn verstand zei dat het troep was. En daarna bedacht ik dat álle rotzooi iemand anders weer dierbaar was, en algauw werd de hele vuilnisbelt één bergketen van verwaarloosde en vergeten schatten die ik als een havik diende te bewaken.

Iemand moest het doen.

Na een poos kwamen de mannen die mij een idioot vonden hun kantoor uit en zeiden dat ze gingen sluiten. Het was halfvier. Dat weet ik omdat ik op mijn vaders horloge keek. Zijn zonnebril lag naast me, die was aan de zijkant

137

van een doos met boeken gestopt. Voor ik vertrok zette ik hem op.

Ik ging naar Martha.

Ik weet zeker dat het laatste waar je behoefte aan hebt als je drie weken met iemand gaat, is dat hij op je stoep staat omdat hij er geen gat meer in ziet, maar daar dacht ik toen niet aan.

Ze deed open en ik begon gewoon te huilen. Ik kon er niets aan doen. Martha zei niets. Ze stak haar armen uit en ik liep er zo'n beetje in en ze nam me mee naar boven naar haar piepkleine slaapkamertje en stelde niet één vraag, ze zat gewoon naast me, hield mijn hand vast, gaf me een glas water en wachtte tot ik niet meer als een gek zou zitten snotteren.

Toen zei ze dat spullen maar spullen waren en dat als haar moeder stierf, ze alles wat ooit van haar was geweest weg zou kunnen gooien zonder dat dat iets zou veranderen aan de stukjes Wendy waaraan ze zich voor eeuwig zou vastklampen, zoals toen ze haar had leren fietsen, of haar eerste beha kocht, of dat ze haar elke avond voorlas, ook toen ze er al te oud voor was.

Ik zei dat ik me niet kon herinneren dat mijn vader me ooit had voorgelezen en dat mam me had leren fietsen en dat ik geen beha's droeg.

Martha zei dat ik me misschien aan alle spullen van pap vastklampte omdat ik niet genoeg goede herinneringen aan hem had die het gat konden opvullen.

Daar zat wat in.

EENENTWINTIG

Ik bleef die nacht bij Martha slapen. We bleven laat op en ik sliep op de bank. Ik werd wakker met mijn gedachten bij de vuilnisbelt, paps horloge en bij mam. Martha bracht me thee met geroosterd brood op een dienblad.

Ik ging naar Bob in plaats van naar school. Hij had mam al gesproken. Ze was gisteren meteen vanaf de vuilnisbelt naar hem toe gereden. Bob leek niet al te blij om me te zien.

'Godallemachtig, zit je moeder eens niet zo op haar nek,' zei hij toen hij me binnenliet.

Hij vroeg of ik haar had gebeld en ik haalde mijn schouders op en zei: 'Nog niet.'

'Je weet dat je te ver bent gegaan,' zei Bob en hij gaf me de telefoon. Ik deinsde zeker achteruit of zoiets, want hij kreeg die stalen geen-geintjes-blik in zijn ogen en zei: 'Je belt haar nu of anders doe ik het.'

Dat was een zwak dreigement omdat ik eigenlijk liever wilde dat Bob belde, dus bijna daagde ik hem uit om dat dan maar te doen. Maar ik kreeg medelijden met hem, omdat hij met zijn vage bedreigingen tussen mam en mij in stond en zo goed mogelijk paps rol overnam, ook al hoefde dat niet en was hij geen familie. Dus pakte ik de telefoon van hem aan en belde naar huis.

Er was niemand thuis.

Het is veel makkelijker om sorry te zeggen tegen een antwoordapparaat dan tegen een levend, pisnijdig iemand die weet dat zij het gelijk aan haar kant heeft. Ik zei: 'Hoi, met mij. Lucas. Sorry van gisteren. Ik kon het niet aan. Het is niet jouw schuld. Ik kom straks naar huis en anders morgen. Doeg.'

Bob was niet onder de indruk.

Daarna praatten we over mam. Toen vond ik dat grappig omdat ik was gekomen om over pap te praten, maar dat deden we niet of nauwelijks en zo erg vond ik het niet.

Bob begon. Hij zei: 'Hoeveel denk je dat ze nog kan hebben?' en ik zei: 'Waarvan?' omdat ik nog niet zover was om het daarover te hebben.

Bob rolde met zijn ogen en keek een tijdje uit het raam. Toen vroeg hij: 'Wat heeft ze verkeerd gedaan?'

Ik zei: 'Ze heeft alle spullen van pap op de vuilnisbelt gegooid!'

Bob zei: 'O, had hij het allemaal nodig dan?' en ik zei: 'Nee, maar...' en toen onderbrak hij me, wat voor mij een opluchting was omdat ik niet wist wat er na 'maar' moest komen.

'En voor die tijd? Wat heeft ze vorige week gedaan waar je kwaad om werd?'

'Wat bedoel je?' vroeg ik, maar ik wist heel goed wat hij bedoelde.

'Het is niet de schuld van je moeder dat hij ervandoor is gegaan,' zei Bob. 'Dat weet je toch wel?'

Ik zei ja en bedacht hoe ironisch en oneerlijk het was dat ik zo lang kwaad was geweest op de persoon die gebleven was in plaats van op degene die me in de steek had gelaten.

'Ze heeft wel een betere behandeling verdiend van de mannen in haar leven,' zei Bob, wat ik ook zo'n beetje had zitten denken.

Ik zei: 'Jij hebt haar altijd goed behandeld', en Bob lachte; dat droge trieste glimlachje dat hij altijd tevoorschijn tovert als we het over hem en mam hebben.

'Daar zat ze niet op te wachten. Ze had jou en Pete nodig.'

Het had me altijd een trots gevoel gegeven om zo met pap op één hoop te worden gegooid, vader en zoon, Lucas en Pete. Het enige wat ik wilde was eruitzien als pap, op pap lijken en de mensen aan hem doen denken. Nu gaf het me een ontzettend waardeloos gevoel.

Ik wilde niet meer op pap lijken.

Daarna zwegen we even. Ik begon over paps platen. Bob zei dat hij zich vereerd zou voelen, wat in de gegeven omstandigheden aardig van hem was om te zeggen.

Toen ik wegging wilde ik iets zeggen waardoor Bob zou weten dat het me best wat had gedaan, dat ons gesprek veel voor me betekende.

Ik wilde iets zeggen wat me van mijn vader zou onderscheiden.

Omdat ik eigenlijk heel goed weet dat mam leuk is en intelligent. Ik weet dat ze van ons houdt. Ze werkt hard en doet leuke dingen met Jed en gaat soms ook met ons op pad. Ze laat Mercy en mij ons eigen plan trekken en vraagt naar onze mening alsof ze die echt wil horen en ze is fantastisch. En nog steeds mooi, als je het mij vraagt, maar ik betwijfel of al die troep in de badkamer ooit heeft geholpen.

Ik weet niet of ik het goed zei of niet toen ik het tegen Bob zei. Als je zelf de enige bent die luistert is het veel makkelijker om alles te zeggen wat je wil zeggen.

Ik was halverwege op weg naar huis toen ik me herinnerde dat Violet nog steeds in Bobs kast lag. Zij was een van de redenen dat ik daarheen was gegaan. Daar stond ik dan op straat, en wist niet wat ik moest doen, of ik terug moest om haar te halen of door moest lopen. Ik stond van mijn ene been op het andere te wippen en in mezelf te mompelen en de mensen keken, maar mensen kijken altijd. En toen hoorde ik iemand mijn naam roepen; ik keek op en Martha stond aan de overkant van de straat te gebaren dat ik naar haar toe moest komen, dus dat deed ik.

Ze vroeg: 'Waar ga je naartoe?' en ik zei dat ik niet kon kiezen en ze moest weer lachen, met haar hoofd achterover en haar lieve mond wijd open. Ik liet mijn hand door haar haar gaan en ze lachte en leek net op zo'n engel, echt waar, zo zag ze eruit.

We gingen terug naar Bob en ik rende naar binnen, greep de tas, zei sorry dat ik hem daar had opgeborgen en liep weer naar de deur. Ik wilde weer snel naar Martha toe, meer niet, maar Bob vroeg: 'Lucas, zit je in de nesten?' en hij keek van mij naar de tas.

Ik schudde mijn hoofd en zei: 'Nee, mijn vriendin staat buiten', en hij grijnsde en maakte een of ander grapje over condooms die ik in zijn klerenkast verstopt zou hebben.

Ik liep het tuinpad af, draaide me achteruitlopend naar hem om, haalde de urn tevoorschijn, hield hem naar hem omhoog en riep: 'Nee, ik had onze vriendin Violet Park daar even in de opslag', en ik sloeg mijn andere arm om Martha heen en we liepen weg.

Ik denk dat ik dat deed omdat ik me een beetje ergerde aan zijn condoomgrap. Maar ik had er meteen spijt van. Want je had Bobs gezicht moeten zien. Vreselijk.

Ik zag het nog dagenlang voor me. Hij veranderde zo ongeveer in steen door mijn daad. Ik weet zeker dat als hij zich had kunnen bewegen, hij achter ons aan gelopen zou zijn. Het kwam niet alleen doordat ik iemands as in zijn flat had bewaard dat Bob ineens zo keek. Hij schrok zich gewoon wild bij het horen van haar naam, zijn mond viel open van pure ontzetting, alsof hij echt een geest had gezien. Toen dacht ik dat hij de geest van Violet had gezien, maar achteraf bleek dat het min of meer die van mijn vader was.

Martha vond het fantastisch om de echte Violet Park bij ons te hebben. Ze vroeg wat we verder met zijn drieën gingen doen en ik vroeg waar zij in eerste instantie op weg naartoe was geweest toen ze me zag.

Ze zei: 'Ik ben vanmorgen met mijn moeder naar het ziekenhuis geweest voor weer een vracht chemo en ik ga vandaag liever niet meer naar school. Laten we iets leuks gaan doen met Violet, ze zit al tijden gedwongen niks te doen.'

We kochten twee kaartjes voor het reuzenrad, de London Eye. Het leek alsof Violet uit haar urn wilde komen, zo opgewonden was ze. We speelden dat onnozele spelletje waarbij je alle bezienswaardigheden op alfabetische volgorde moet weten te vinden: A voor het Aquarium, B voor

Buckingham Palace of voor de Big Ben, C voor Canary Wharf, D voor Dulwich-Park enzovoort (X en Y zijn het moeilijkst). Daarna gingen we over de wiebelige brug naar de Tate Gallery. Violet was echt dol op de rivier, dus gingen we op een van de platforms in de wind staan en keken naar het modderbruine, bruisende, snel stromende water. Ik zette Violet op de reling met mijn arm om haar heen zodat ze niet kon vallen, en mijn andere arm sloeg ik om Martha's middel en ik fluisterde in haar oor: 'Wat zullen de mensen van ons denken, twee jonge mensen die een dagje op stap zijn met iemands as?' en zij fluisterde terug dat we er vast gelukkig uitzagen.

En ik bedacht dat we ondanks alles, ondanks het feit dat haar moeder zo ziek was en mijn vader vermist werd en een grote afknapper bleek en Violet dood was, we dat ook gewoon waren.

TWEEËNTWINTIG

Ik had niemand over het bandje van Violet verteld, zelfs Martha niet. Toen wist ik niet waarom, ik wilde het gewoon niet. Het was van mij, denk ik. Van mij en van pap en van Violet – tenminste, tot ik wist wat erop stond.

Voor ik ernaar luisterde nam ik ruim de tijd om me voor te bereiden. Ik trok de rolgordijnen in mijn kamer naar beneden en zette een kop thee. Ik pakte pen en papier. Ik schoof een tafel en een stoel bij het raam met daarop het bandje, pen en papier en paps kleine cassetterecorder, alles keurig naast elkaar. Ik stroopte de keuken af op zoek naar nieuwe batterijen. Ik zette nog een kop thee, maakte een boterham en pakte een appel en wat nootjes en nog een paar dingen voor de zekerheid, omdat ik geen idee had hoe lang dit ging duren. Ik nam de tijd om een joint te draaien, want ik dacht dat ik er op een gegeven moment wel eens eentje nodig zou kunnen hebben. Ik bleef maar denken: alsjeblieft, laat er niet iets overheen opgenomen zijn, laat het alsjeblieft niet niks zijn. Ik deed de deur op slot en weer van het slot af en daarna weer op slot. Ik denk dat ik de boel aan het uitstellen was, want ook al wilde ik vreselijk graag horen wat er op het bandje stond, ik was er ook bang voor. Zeg maar gerust doodsbang, als ik eerlijk ben.

Ik moest het eerst terugspoelen, drukte de verkeerde knop in en hoorde een stem praten, midden in een zin, en het was mijn vaders stem. Ik werd misselijk, kreeg het koud en werd bang en zette het ding meteen uit. Ik zat een tijdje naar het apparaat te kijken en haalde toen mijn koptelefoon tevoorschijn. Het laatste waar mijn moeder nu behoefte aan had? Het geluid van mijn vaders stem in huis.

Door de koptelefoon kon ik hen behalve horen praten ook horen bewegen en ademen. Ik hoorde vogels bij het raam waar ze zaten en auto's. Iemand schonk thee in, ik hoorde het geluid van een lepeltje in een kopje.

Ik deed mijn ogen dicht – en zat bij hen, alsof ik door de tijd was gereisd.

Met zijn allen in dezelfde kamer: ik, de vermiste en de overledene.

De kamer waar we bij elkaar zitten staat vol boeken, heeft houten vloeren met een dikke laag vernis in de kleur van heldere honing, ramen (drie) die uitkijken op een strakblauwe lucht en het glooiende park. We zitten in canvas stoelen en mijn vader slaat zijn benen over elkaar, rechts over links, en terwijl hij luistert, fronst hij zijn voorhoofd en rookt heel veel sigaretten en schrijft af en toe iets op in een bruin notitieboekje. Ik denk aan dat bruine notitieboekje dat, dankzij mam, open- en weer dichtwaait en opzwelt van de regen op de vuilnisbelt. Violets stoel staat tegenover die van pap, hun knieën op maar een paar centimeter van elkaar; zij zit licht voorovergebogen in haar stoel en houdt nauwlettend in de gaten of hij luistert.

Ze is van de verkeerde leeftijd. Ik bedoel dat ik me haar

veel jonger voorstel dan ze geweest moet zijn. Ik baseer me op de foto's en het schilderij dat ik heb gezien en doe mijn best, maar ik ben absoluut een eind uit de buurt; haar stem is jaren ouder dan de Violet die ík voor me zie. Hij slaat over, is onvast en begeeft het midden in een zin. Haar handen vliegen heen en weer terwijl ze praat, de ringen aan al haar vingers schieten vonken, haar nagels zijn kort en glanzend roodgelakt. Er zit zoveel leven in die handen dat ik tranen in mijn ogen krijg door er alleen maar naar te kijken.

Geen van beiden ziet me, stoned, huilend en grijnzend als een idioot in de hoek. Ze kijken niet één keer mijn kant uit.

'Laten we beginnen bij het gezin,' zegt pap. Als ik zijn stem hoor, word ik helemaal slap.

Violet zucht en dreunt het op alsof ze het allemaal al eerder heeft verteld: 'Ik was enig kind van niet zo jonge ouders. Ze oefenden enorme druk op me uit om iets van mijn leven te maken, omdat zij dat nooit hadden gedaan.'

'Heb je een gelukkige jeugd gehad?'

'O, lieve help, nee!' En ze lacht, maar je merkt dat ze het niet echt grappig vindt. 'Ik heb hard gewerkt en ik herinner me niet dat er veel gelachen werd. Ze hielden me bij de andere kinderen vandaan.'

'Waarom?'

'Zodat ik niet aangestoken zou worden, volgens mij. Ze wilden niet dat ik de geur van rebellie opsnoof.'

'Dus je was een braaf, gehoorzaam meisje?'

'Wat kon ik anders, schat? Ik wist niet dat ik een keuze had, tot later.'

147

Violets lach is hees en donker, alsof ze in haar tijd een paar duizend sigaretten heeft gerookt. Maar nu rookt ze niet, alleen mijn vader rookt; ik kan hem horen uitblazen.

'En nam je hun dat kwalijk?'

'De beperking en de afzondering? Dat ik pas op mijn zeventiende mijn eerste echte vriendin had? Natuurlijk nam ik ze dat kwalijk, in het begin. Nu begrijp ik dat ze alleen maar hun best deden.'

'Denk je dat echt?'

'Ja, schat, dat denk ik, ja. Ik weet zeker dat ík in hun plaats nog veel erger was geweest.

'En was het moeilijk om hen te vergeven?'

'Wat? Nee, makkelijk! Kinderen willen sowieso veel liever van hun ouders houden dan een hekel aan hen hebben.'

Pap zegt: 'Laten we het hopen', en Violet trekt haar potlooddunne wenkbrauwen op. 'Waarom zeg je dat, Peter? Wil je zelf vergeven of vergeven worden?'

Ik let angstvallig op wat mijn vader antwoordt en hij zegt: 'Ik ben een vader van niks.' Meer niet.

Ik wil ernaartoe om te zeggen dat ik hem vergeef voor iets wat hij nog niet eens heeft gedaan, maar het is niet waar en ik kan me bovendien niet bewegen.

Pap vraagt wat ze nu beter begrijpt van haar ouders, waarom ze zoveel van haar eisten. Ze zwijgt even om na te denken en kijkt langs mijn vader heen naar haar verleden.

'Daar heb ik vaak over nagedacht. Het was vooral mijn moeder. Ze was onderwijzeres en het leven was te beperkt voor haar, te benauwd aan alle kanten. Ze droomde ervan een groot actrice te worden en op school hadden ze haar gezegd dat ze het nooit zover zou schoppen, omdat ze er te alledaags uitzag en geen boezem had. En dat geloofde ze, het waren vernietigende opmerkingen. Maar ze was goed, ik herinner me dat ze goed was. In elk geval fleurde ze de pogingen van het Hobart Amateurtheatergezelschap op. Als kind heb ik die allemaal gezien, repetities inbegrepen. Eigenlijk dacht ik dat ze actrice was, tot ze met me meeging naar school en les begon te geven. Het was voor ons beiden een vreselijke teleurstelling.'

Mij vader zegt niets. Hij kijkt haar aan, knikt en wacht en daarom vertelt ze verder: 'Vader was bankdirecteur. Hij ging nogal formeel met ons om. Ik betwijfel of hij zich thuis ooit ontspande. Maar hij was dol op discipline en vaste regels, dus zette hij de strikte leefregels van mijn moeder kracht bij. Hij was denk ik een beetje bang voor zijn hartstochtelijke, onbevredigde vrouw en zijn muzikale, eenzelvige dochter.'

'Was je muzikaal als kind?'

'O ja, heel muzikaal,' zegt ze. 'In het theater joeg ik mijn moeder op een dag de stuipen op het lijf. Ik speelde een stuk dat ik een minuut daarvoor voor het eerst had gehoord, in zijn geheel foutloos na. Ze onderzocht de piano op een verborgen mechaniek toen ik het nog een keer deed. Ik geloof dat het een klein menuet van Mozart was, niets sensationeels. Ik weet er niets meer van.'

'Hoe oud was je toen?'

'Drie of vier,' zegt Violet en in de stilte zie ik de grijns op mijn vaders gezicht.

'Drie of vier,' herhaalt hij.

'Ik geloof dat ze wilden dat het nooit gebeurd was,' zegt

ze. 'Het is heel uitputtend om met zo'n kind, een bijzonder kind, opgescheept te zitten, heb ik me laten vertellen.'

En dan zegt mijn vader iets zo onverwachts dat ik niet weet waar ik moet kijken. Hij zegt: 'Mijn zoon Lucas is een vreemd kind.'

Ik zit daar in die kamer naar mijn schoenen te kijken. Ik heb mijn vaders schoenen aan en dan zegt hij zoiets over mij.

'Heel goed,' zegt Violet, 'laten we het over iemand anders hebben, ik heb mezelf allang uit. Vertel eens wat over dat vreemde kind van je, die Lucas. Hoe oud is hij?'

'Tien.'

Dan is het bandje van nog geen jaar voordat pap wegging. Ik probeer me te herinneren hoe ik was op mijn tiende. Was ik vreemd?

'Ben je op hem gesteld?' vraagt ze. 'Kunnen jullie met elkaar overweg?'

'Weet ik niet. Ik geloof niet dat hij erg op mij gesteld is.'

Ik denk: wel waar, idioot, dat was ik wel.

'En waarom is hij vreemd?' vraagt Violet en ik kan niet geloven dat ze naar mij vraagt, dat ze over mij praten terwijl ik in de hoek zit te luisteren. Ik zou me vereerd moeten voelen, behalve door wát ze zeggen.

'Hij is erg op zichzelf. Hij zit maar te staren. Ik geloof dat hij me ergens van verdenkt.'

'Waarvan?'

'Misschien later. Een andere keer,' zegt mijn vader, en het rare is dat hij naar mij kijkt als hij dat zegt, alsof hij weet dat ik meeluister.

'Heb jij kinderen?' vraagt hij en zij fronst haar wenk-

brauwen en schudt haar hoofd terwijl ze tussendoor slok-
jes thee neemt, zoals mensen thee drinken als die veel te
heet is, alleen om wat te doen te hebben.

'Nee,' zegt ze. 'Ik heb ze nooit gewild. Ik ben geen moe-
derlijk type, veel te egoïstisch. Dan was ik aan huis gebon-
den geweest en had in mijn eentje piano zitten spelen. Dat
heb ik nooit gewild. Ik heb altijd geweten dat ik ze nooit
zou krijgen.'

'Hoe komt het dat je daar zo zeker van was? Hoe oud
was je toen je dat wist?'

'Ik wilde niet worden zoals mijn moeder met al dat
verstikte talent. Ze was een meelijwekkende, verbitterde
vrouw die met tegenzin haar hele leven in dienst van anderen heeft gesteld. Als ik een gezin had gehad zou ze dat
als hoogverraad hebben beschouwd.'

'Dus omdat je moeder ongelukkig was, heb je besloten
dat het moederschap niets voor jou was?'

'Klopt. Hoewel denkbeeldige kinderen totaal geen problemen geven.'

'Denkbeeldige kinderen?'

'Ja. In de jaren vijftig verzon ik een tamelijk aantrekkelijke zoon die Orlando heette en autocoureur, paardentrainer of stuntman was, afhankelijk van het feest waar ik was.'

'Vertelde je andere mensen over hem?'

'Natuurlijk! Dat was de reden dat ik hem verzonnen
had. Hij was onweerstaanbaar. Ze konden niet genoeg van
hem krijgen. Waar moest ik anders op al die feestjes over
praten? B-mol? De kleedkamers en de catering in Pinewood? Orlando bracht een beetje leven in de brouwerij.'

Mijn vader laat zijn prachtige, onstuimige lach horen,

de lach waarvan ik me niet kan voorstellen dat ik hem bijna was vergeten. Iets grappigs tegen mijn vader zeggen en hem dan horen lachen gaf me altijd een trots, slim en warm gevoel vanbinnen.

'Niet te geloven,' zegt hij nog steeds lachend, terwijl hij zijn ogen afveegt. 'Je hebt een kind verzonnen om het ergens over te kunnen hebben op feestjes? Wie was de vader?'

'O, over hém had ik het nooit,' zegt Violet glimlachend. 'Het kan zijn dat ik heb laten doorschemeren dat hij vreselijk beroemd was. Dat verhoogde de inzet, snap je, maakte het schandaal erger. Kinderen zonder vader waren in die tijd groot nieuws, niet zoals nu, nu niemand er nog van opkijkt.'

Ik wel, wil ik zeggen. Ik keek er wel van op toen ik er een werd.

Mijn vader zegt: 'Vertel eens over je jeugd in Tasmanië', en Violet zegt: 'Ik beschouwde het als het paradijs, de zee, de bergen en de warmte. Ik vond dat ik geluk had gehad dat ik daar geboren was. En toen kwam ik erachter dat het niet van ons was, dat we het van de eigenaars hadden gestolen. Kun je je voorstellen wat dat voor gevoel gaf?'

Mijn vader vraagt: 'Voelde je je verantwoordelijk?' en Violet zegt: 'Nou ja, iemand in mijn familie moest de verantwoordelijkheid op zich nemen.' Daarna aarzelt ze even en zegt: 'Ik voelde me als een bloedvlek op een wit laken. Ik voelde me vreselijk voor schut staan, vreselijk schuldig.'

'Hoe ben je erachter gekomen?' vraagt mijn vader, en zij zegt: 'Ik las het in een boek. Ik was nog maar acht of negen. Ik zat in mijn eentje op een kussen in een hoek van de Hobart-bibliotheek. Die had glanzende vloeren en heel hoge plafonds.'

'Hoe heette dat boek?'

'Weet je dat ik dat niet meer weet? Het lag onder de boekenkast op de vloer en ik had er medelijden mee, dus raapte ik het op en begon erin te lezen.'

'Had je medelijden met een boek?' Mijn vader moet lachen.

'Ik ben heel gevoelig,' zegt Violet en ze gaat een beetje verzitten in haar stoel – ritsel, ritsel. 'Je kunt je voorstellen hoe ik met de oorspronkelijke bevolking te doen had.'

Violet heeft in de verste verte een zweem van een accent. Ze spreekt heel beschaafd Engels, recht voor zijn raap, scherp en afgebeten met slechts een schijntje van *down under*. Ik denk na over haar stem, en mijn vader moet er zeker op hetzelfde moment aan denken, want hij vraagt: 'Heb je daarom elk spoor van je geboorteland uit je leven en uit je stem gewist?'

'O, ik werd steeds minder boos naarmate ik er verder vandaan was,' zegt ze. 'En met de jaren ben ik milder geworden. Nu ben ik er trots op Tasmaanse te zijn. Ik zou alleen willen dat ik wat meer inheemse vrouwelijke strijders als gezelschap had. Ik bedoel, wat heb ik nu helemaal gedaan? Pianospelen in films.'

'En je stem?' zegt mijn vader. 'Je klinkt volkomen Brits.'

'Om ergens te komen in mijn vak moest ik spraaklessen nemen. Jullie Engelsen dachten allemaal dat ik bij de schapen vandaan kwam', en bij die zin zet ze haar zwaarste Tasmaanse accent op en daar moeten ze samen even om lachen, twee verschillende octaven op een vleugel.

Hij vraagt haar wanneer ze uit Tasmanië vertrokken is en zij zegt: 'Op mijn zeventiende. Was dat even een tijd om in Londen aan te komen, allemachtig. Ik ging aan de Royal Academy studeren. Hier aankomen was alsof iemand het licht uitdraaide. Er was geen warmte, geen fel zonlicht, geen kleur. Het was zo vreemd, zo deprimerend. Ik stond op Westminster Bridge en beeldde me in dat het water van de Theems helemaal terug naar Australië vloeide, terug naar huis.'

'Had je heimwee?'

'Ja, heel erg. Maar daar heb ik mee leren leven omdat ik niet terug wilde. Ik ben ook nooit meer teruggegaan.'

'Heb je daar spijt van? Zou je er graag weer eens naartoe willen?'

'Schat, de volgende plek waar ik naartoe ga, is de grond in.'

'O, Violet, je hebt nog wel even.'

'Als het aan mij ligt niet.'

Mijn vader en ik kijken Violet allebei aan als ze dat zegt, onze hoofden schieten op hetzelfde moment omhoog. Het is niet zozeer wat ze zegt, een simpele quasi-nonchalante opmerking die niets hoeft te betekenen. Het is de manier waarop. De stilte tussen hen wordt langer terwijl ik hem naar haar zie kijken als ze dat zegt.

'Waar dient dit interview trouwens voor, schat?' verandert ze van onderwerp, en mijn vader zegt dat het niet voor het boek is, maar gewoon een profielschets, misschien iets voor een zondagkrant, het heeft niet zoveel om het lijf, maar als hij iets doet, doet hij het graag goed.

Violet zegt: 'En ik maar denken dat je gewoon een tijdje

in mijn gezelschap wilde zijn', en in de stilte op de band glimlachen ze naar elkaar.

'Wil jij mijn overlijdensbericht schrijven? Ik zou graag willen dat jij het deed.'

'Als ik er dan nog ben,' zegt pap, en ik denk: jawel hoor, nog een jaar of wat, en dan val je in een groot zwart gat. Ik vraag me af of haar overlijdensbericht misschien het laatste is geweest wat hij heeft gedaan, voor hij vertrok, als hij het al gedaan heeft.

Daarna kucht Violet, schuift heen en weer in haar stoel die kraakt en zegt: 'En nu ben ik het zat om mezelf te horen praten. Nu is het jouw beurt. Ik ga je vijf vragen over je persoonlijke leven stellen, voor een profielschets voor mezelf. En laat de band maar lopen, dat is niet meer dan eerlijk.'

DRIEËNTWINTIG

Als je iemand zou mogen interviewen en hem vijf vragen zou mogen stellen die hij naar waarheid zou moeten beantwoorden, wie zou je dan interviewen en wat zou je hem vragen? Dat is een van die steeds terugkerende vragen, zoals wanneer je drie figuren uit de geschiedenis zou mogen ontmoeten, wie je dan zou kiezen (Mahatma Gandhi, Kurt Vonnegut, Bill Hicks) of welke vier dingen je zou meenemen naar een onbewoond eiland (een jacht, een waterzuiveringspakket, een iPod met eeuwigdurende batterijen en Martha, maar dat is valsspelen). Op het moment dat je antwoord geeft op zulke vragen, verander je meteen van gedachten en bedenk je iets beters wat je had willen zeggen. Ik in elk geval wel.

Ik weet niet zeker of ik mijn vader zou kiezen. Als ik om het even wie ter wereld zou mogen interviewen, maar dan ook echt om het even wie, zou ik me verplicht voelen om de waarheid los te krijgen uit iemand als George Bush, omdat mijn probleem met mijn vader alleen mij aangaat, maar arrogante, misleide, oerstomme politiek leiders ieders probleem zijn.

Maar stel dat mijn vader nog leefde en ik hem zou kunnen interviewen, dan zou ik hem dit vragen:

1. Waar heb je verdomme gezeten sinds 16 oktober 2002?
2. Waarom heb je niks van je laten horen?
3. Kwam het door ons?
4. Heb je spijt?
5. En nu?

Violet stelde mijn vader vijf vragen. Ik ken haar vragen en zijn antwoorden zo'n beetje vanbuiten, omdat ik ze steeds weer heb afgedraaid om te horen wat hij zei en om te horen wat hij net niet zegt, als je begrijpt wat ik bedoel.

Voor zover ik dat eruit op kan maken, was het een klein jaar voor hij vertrok, en aan zijn antwoorden hoor je dat hij er al mee bezig was.

Wanneer en waar was je het gelukkigst?

Op een woonboot in Chelsea Wharf, rond 1985. Ik was op een feestje met Bob. We waren dronken, ik kwam net uit de af-kickkliniek, had een klus voor The Times *en stond op het punt het meisje te ontmoeten met wie ik later zou trouwen, en dat allemaal op één dag.*

Waar heb je het meest spijt van?

Dat ik niet heb voldaan aan de verwachtingen van de mensen van wie ik hou. Als ik thuiskom zijn zij teleurgesteld. Dat geeft geen goed gevoel. Dat en het gebrek aan tactvol optreden bij buitenlandse kwesties.

En ik vind het jammer dat ik niet weet wie mijn echte vader is. Je mag kiezen.

(Hoe voelt mijn vader zich ten aanzien van Jed, vraag ik me af, aangezien het zijn schuld is dat iemand anders nooit zijn echte vader heeft ontmoet. Ik kan maar niet geloven hoe mensen in kringetjes ronddraaien en steeds weer de fouten maken die het voor henzelf in eerste instantie hebben verpest. Je zou denken dat sommige mensen slimmer waren.)

Welke mensen hebben op jou de meeste invloed gehad?
Nicky, omdat ze van me houdt, ook al ben ik er niet goed in van haar te houden.

Bob, omdat hij er altijd was en omdat ik zonder hem maar de helft van mijn herinneringen zou hebben, ook al heeft hij zijn eigen leven grandioos verknald en is hij smoor op mijn vrouw, de idioot.

Ene Mitchell Malone, een snelheidsduivel en portier van een ziekenhuis die me bijna heeft vermoord vanwege een pokerschuld. Hij had het kunnen doen, ik was kansloos. Hij had mijn lijk in de rivier kunnen gooien en er zou geen haan naar gekraaid hebben, maar hij veranderde van gedachten en liet me gaan. Ik heb nooit geweten waarom. Over invloed op je leven gesproken.

Wat is er mis met de wereld, Pete?
Godallemachtig, weet ik veel. Waar moet je beginnen? Mensen geven het op. We zijn defaitistisch en stoppen na een tijdje met streven of vechten of genieten. Maakt niet uit op welk gebied: oorlog, huwelijk, democratie, het mislukt allemaal omdat iedereen het na een poos opgeeft, niets aan te doen.

En vraag mij niet om het op te lossen, want ik ben het ergst

159

van allemaal. Ik zou er morgen tussenuit gaan als ik kon, en
alles wat ik altijd heb gewild in de steek laten.

(Uit de eerste hand. Nog even, Pete, dan is het zover.)

Als een goede vriend je om hulp zou vragen bij zelfdoding, zou je het dan doen?

Godallemachtig, weet ik veel. Ik geloof in zelfbeschikkings-
recht, als je dat bedoelt. Ik bedoel, als mensen ziek zijn of geen
kwaliteit van leven hebben en bij hun volle verstand niet meer
willen, wie ben ik dan om hen tegen te houden? Maar ik weet
niet of ik hen daarbij zou kunnen helpen. Ik ben een lafaard.
Ze zouden iemand met meer lef kiezen. Ze zouden het niet aan
mij vragen.

Ik vraag het je, Peter.

Daar stopt de band. Met een harde klik slaat hij af, alsof iemand er zijn vuist op heeft laten neerkomen, die van mijn
vader, omdat Violet hem net heeft gevraagd om haar te
doden. Op de cassette.

Ik deed hetzelfde en mepte het ding half van tafel, omdat ik mijn oren niet kon geloven.

Ik moest even wennen aan de stilte van mijn eigen kamer. Ik deed mijn ogen open, haalde de koptelefoon van
mijn oren en was weer alleen, zoveel jaren later, nog steeds
luisterend naar hun stemmen, terwijl ik mijn best deed om
te horen wat er niet meer was, wat hij misschien tegen
haar had gezegd op het moment dat de band was gestopt
en hij met trillende handen nog een sigaret had opgesto-
ken, terwijl zij kalm nog een kopje thee inschonk.

Ik bedoel, wat had hij daarop moeten zeggen?

Je maakt een grapje.

Dat meen je natuurlijk niet.

Heel grappig, Violet.

Om de dooie dood niet.

Hoe durf je?

Probeer het eens met zelfmoord (onder een trein lopen, van Archway Bridge springen, pistool tegen je hoofd enzovoort enzovoort).

Of misschien heeft hij gezegd: *Ja, goed, doe ik.*

VIERENTWINTIG

Martha's moeder is dood. Wendy is dood.

De mensen zeiden steeds dat het te verwachten was, dat het niet echt als een verrassing kwam en dat soort dingen, maar Martha zegt dat het niet helpt hoe vaak je gewaarschuwd bent of dat je erop was voorbereid, de dood komt toch onverwacht en het blijft een schok.

'Het ene moment was ze er nog,' zei ze, 'en was ze mijn moeder, en het volgende was ze voorgoed nergens meer. Wat heb ik eraan dat ik tien jaar lang geweten heb dat het een keer zou gebeuren?'

Door haar moest ik erover nadenken, over het plotselinge definitieve moment dat iemand doodgaat, en ik begreep dat mij dat min of meer bespaard was gebleven door het onduidelijke vertrek van mijn vader. De grenzen rondom hem zijn heel vaag, de grenzen die het verschil tussen dood of levend aangeven, alsof hij in de tijd dat hij weg is langzaam van het een op het ander is overgegaan. Als mijn vader nu dood zou zijn, zou dat nog steeds een schok zijn, maar niet zoals voor Martha, die 's morgens Wendy's hand had vastgehouden toen ze nog leefde en 's middags weer, toen ze dood was. Ze vertelde dat ze naar haar moeders dode hand in de hare had gekeken en had gedacht: die zal me nooit meer aanraken. Ze had gedacht: dit is mijn moeder niet meer, het is gewoon een hand, en ze moest de kamer uit om over te geven.

De begrafenis was nogal gewoon, als je Wendy's eerdere hoop op de Ganges in aanmerking neemt. Om te beginnen was het in een kerk en ging de dominee maar door over God, terwijl ik wist dat ze aan diens bestaan twijfelde.

Martha's vader las een gedicht voor over dat sterven eigenlijk loslaten was, een laten gaan, een nieuwe geboorte, en het was onvoorstelbaar omdat het zo hoopvol was en dood-zijn deed voorkomen als het meest coole en relaxte wat er maar bestaat. In het gedicht leek het niet of dood-zijn het einde van alles betekende, maar alleen het einde van wie je was, met alle ongemakken en herinneringen en rare denkbeelden die je in het leven tot last zijn.

Als je het zo bekijkt is doodgaan voor sommige mensen niet zo'n gekke keuze.

Daarna was het huis propvol en stonden de mensen gewoon in de rij om te zeggen hoe fantastisch en verbazingwekkend en onverschrokken Wendy was geweest. Op de muur bij de trap was een diavoorstelling met foto's van haar toen ze klein was, voor haar eindexamen slaagde, toen ze trouwde, met Martha als baby in haar armen, stralend, ziek, lachend met al haar eigen haar. De mensen bleven er lang naar staan kijken, zelfs als de foto's al allemaal langs waren geweest en ze ze meer dan één keer hadden gezien. Ik denk dat het was omdat ze nog steeds bij haar wilden zijn en ze niet dichterbij konden komen dan dit.

Martha vond het niet fijn in huis met iedereen die over Wendy praatte en dronken werd, dus gingen we een eindje wandelen, niet echt ergens naartoe. Het werd al flink donker en alles verloor langzaam kleur en de lantaarns waren nog niet aan om alles een oranje gloed te geven. Op straat liepen mensen te lachen, ze gingen kroegen binnen en waren aan het joggen. Ik moest steeds maar denken: weten ze niet dat haar moeder net is overleden?

Uiteindelijk belandden we, hoe krijg je het voor elkaar, op een muurtje voor een begrafenisonderneming. Martha moest lachen en huilen tegelijk. Ze zei dat ze zich niet kon voorstellen dat ze op zulke momenten in het gezelschap van iemand anders had willen zijn.

'Nu zijn we familie, jij en ik, dat snap je wel,' zei ze en ik wilde het niet fijn vinden wat ze zei, omdat het haar moeders begrafenis was, maar het was wel zo.

* * *

Martha huilt veel. Ze zegt dat ik er maar beter aan kan wennen omdat dat zo ongeveer het enige is wat ze voorlopig zal doen, ook al heeft ze niet altijd het gevoel dat ze moet huilen. Het klopt. We hebben alle twee gemerkt dat ze vooral huilt als ze zich goed voelt, als we samen zijn, zomaar wat rondhangen, of als ze hard om iets moet lachen. Martha zegt dat het is omdat ze een schuldgevoel krijgt zodra ze zich goed voelt, omdat ze vergeet haar moeder te missen.

Ik zei dat het feit dat ze even niet aan haar moeder denkt heus niet betekent dat ze haar niet mist. Missen doe je gewoon met een ander deel van je hersenen, zo zit dat.

VIJFENTWINTIG

Vóór het bandje had elke connectie tussen Violet en mijn vader op giswerk geleken. Het was een belachelijk idee dat die twee echt iets met elkaar te maken hadden, behalve dat ze er alle twee niet meer waren. En toen ineens, toen ik ze zo hoorde praten, kwam het bij me op dat het dat nou net was: het feit dat ze er niet meer waren, verbond hen op een manier die ik nog in geen honderd jaar had kunnen bedenken.

Wat ik nu zeker wist, was dit:

Violet had aan mijn vader gevraagd haar te helpen sterven. En toen?

Had mijn vader ja of nee gezegd? Want als hij ja had gezegd, werd het een heel ander verhaal.

Want als je erin toestemt om iemand te helpen sterven en je verdwijnt kort daarna, bestaat er een goede kans dat die twee dingen met elkaar te maken hebben.

Ik heb geprobeerd me te herinneren hoe mijn vader was in de maanden voor Violet stierf en hij ervandoor ging, toen ik tien was en (blijkbaar) vreemd en misschien niet veel heb bijgedragen met mijn gestaar.

Had hij de hele tijd lopen denken aan het helpen sterven van een oude dame?

Of verzon hij gewoon manieren om weg te komen?

Ik heb er veel over nagedacht en ik denk dat het min of meer zo is gegaan:

Nadat Violet aan mijn vader had gevraagd om haar te doden, nadat de cassetterecorder was uitgezet en ze het misschien nog een keer had gevraagd, had mijn vader NEE gezegd.

Misschien was hij opgestaan en een beetje door de kamer gaan ijsberen, maar over het algemeen zou hij zich redelijk kalm hebben gevoeld in de wetenschap dat hij haar op geen enkele manier zou helpen, hoezeer ze hem er ook om smeekte.

Mijn vader had niet zoveel voor anderen over, weet je nog, en dit was niet niks.

Als je verjaardagen en je eigen trouwdag niet kunt onthouden, als je je kinderen nooit eens naar school brengt of meeneemt naar de dierentuin of naar het London Planetarium, als iemand naar het station brengen meestal al slecht uitkomt, dan komt hulp bij zelfdoding daar niet eens in de buurt.

Deze ene gunst ging gewoon net te ver.

Maar wat nou als Violet hem op andere gedachten had gebracht?

Het zou kunnen.

Hoe zou je daarbij te werk moeten gaan, om iemand ervan te overtuigen dat hij je moet doden?

Je zou heel goede argumenten moeten hebben.

Drammen en zeuren en er gewoon over door blijven zaniken zou nooit hebben gewerkt. Mijn vader was daar ongevoelig voor.

Een beroep doen op zijn betere ik zou niet meevallen, dat was net zoiets als een speld zoeken in een hooiberg. Mijn vader was geen barmhartige samaritaan.

Dus waarmee zou Violet hem over de streep hebben gekregen?

Zou ze onomstotelijk hebben bewezen dat ze geen reden had om verder te leven?

Ik bedoel, waarom wilde ze dit? Dat moet ze hem hebben verteld.

Misschien leed ze aan iets waaraan ze sowieso zou sterven, kanker of een hartaandoening of Parkinson of verveling.

Misschien was ze het beu om alleen te wonen, met haar verzonnen zoon en haar platen en haar handen die het niet meer deden.

Misschien had ze hem een flinke erfenis beloofd. Die theorie klopt omdat het zijn verdwijntruc mogelijk maakte, en als hij echt van plan was om ervandoor te gaan, was een beloning in contanten de beste worst die ze hem had kunnen voorhouden.

Er is nog iets wat ik weet.

Violet is binnen een jaar nadat ze dat bandje hadden opgenomen gestorven. Ik weet niet hoe, hopelijk vredig in haar slaap. En kort daarna is mijn vader ertussenuit geknepen.

Dat kan toch geen toeval zijn?

Dus misschien heeft hij het toch gedaan.

Misschien heeft mijn vader Violet helpen sterven.

En als hij dat gedaan heeft, wil ik weten hoe.

Je zou heel voorzichtig moeten zijn omdat het duidelijk

niet op moord mag lijken, en zelfs niet op hulp bij zelf-doding, tenzij je in Nederland woont en misschien in delen van Scandinavië.

Het is waarschijnlijk gebeurd met een overdosis: slaappillen en drank of pijnstillers.

Maar waar had Violet mijn vader dan voor nodig? Dat kon ze zelf ook.

Misschien wilde ze alleen dat hij haar hand vasthield als ze ging, of moest hij zich ervan overtuigen dat ze echt dood was voor hij er iemand bij riep, zodat ze niet terug werd gerukt uit de tunnel met het licht aan het eind.

Ik wed dat ze bang was en iemand wilde om tegenaan te praten, of dat er iemand bij was voor het geval ze op het laatste moment van gedachten zou veranderen. Want het zou niet best zijn als je halverwege je zelfdoding van mening zou veranderen en er niets aan kon doen.

Ik wil er niet eens over nadenken.

Misschien nam ze de pillen en heeft hij een kussen op haar gezicht gedrukt om er een beetje vaart achter te zetten. Als je er eenmaal aan bent begonnen, moet het wachten vreselijk zijn.

Ik wil zo vreselijk graag weten of hij echt iemand heeft gedood.

Maar waarschijnlijk heeft hij nee gezegd en het verder aan haar overgelaten.

ZESENTWINTIG

Op de een of andere manier ben ik, door voor Martha te zorgen, en door het hele gedoe rond Violet en pap voor mezelf te houden en te proberen aardiger voor mam te zijn, Bob twee weken uit het oog verloren.

Het kan zijn dat ik hem heb ontweken.

Omdat ik wist dat ik naar hem toe moest om erachter te komen wat hij wist.

En om mijn excuses aan te bieden.

Zodra ik hem zag, was het voor mij zo duidelijk als wat dat hij een heleboel wist. Hij ontweek mijn blik. Plus dat hij er vreselijk uitzag, alsof hij niet had geslapen sinds de laatste keer dat ik hem had gezien, wat trouwens ook waar bleek te zijn. Hij was helemaal verkreukeld en stond in een oude pyjamabroek wankel op zijn benen aan zijn kont te krabben, en ik besefte dat hij had gedronken.

Bob had jaren niet gedronken. Niet meer sinds hij in elkaar was gestort en weer was opgestaan. Het betekende heel wat voor Bob om niet te drinken.

'Wat is er aan de hand?' vroeg ik en ik was als een kind zo bang. Bob zei niets. Hij liep gewoon terug het huis in en liet de voordeur openstaan.

De hele gang door helde hij over naar links en botste

steeds tegen de muur. Ik liep achter hem en dacht: heb ik dit veroorzaakt?

''s Niet jouw schuld,' hijgde Bob bij de deur in mijn gezicht. Hij stonk naar de drank.

'Nee?' vroeg ik.

'Nee!' gromde hij en op hetzelfde moment duwde hij zo'n beetje met zijn schouder de deur open. Er lag iets voor (jassen, stapels jassen en dekens op de vloer) en we moesten ons door de opening heen wringen omdat de deur niet verder dan op een kier openging.

Het appartement lag totaal overhoop. Het leek alsof Bob elke kast, la en plank op de vloer had geleegd, er een stapel van had gemaakt en erin had liggen rollebollen.

'Bob, waar ben je mee bezig geweest?' vroeg ik. 'Jezus!'

'Ik zocht iets,' zei hij met dichtgeknepen ogen en toen haalde hij zijn schouders op. 'Kan het niet vinden.'

'Wat zocht je, een plek om te zitten?' vroeg ik, omdat ik daarnaar op zoek was.

'Ach, ga op de vloer zitten, plof ergens neer!' Bob zwaaide geïrriteerd met zijn armen, dus ik schoof een deksel van een typemachine, een banaan vol vliegenpoep en een broek opzij en ging zitten. Maar ging toen weer staan omdat de vloer nat was.

'Waarom ben je aan de drank, Bob?' vroeg ik. 'Wat is hier gebeurd?'

Toen zweeg ik omdat ik bij het raam iets bekends zag: een doos waar papier uitstak; een doos waar afwasmiddel in had gezeten en die ik mam uit de auto had zien pakken en op de vuilnishoop had zien smijten. Ik keek om me heen de kamer rond, draaide langzaam om mijn as en nam alles in me op. Er waren nog meer dingen, nog meer dozen, voor het grootste deel onuitgepakt, stapels notitieboekjes en tijdschriften en zo.

De spullen van mijn vader.

Niet alles wat we hadden weggegooid, in de verste verte niet, maar aardig wat.

Bob was op zoek naar iets tussen de spullen van mijn vader.

'Bob, waar ben je in jezusnaam...?'

'Ik kon het gewoon niet vinden,' zei hij huilend en hij schudde zijn hoofd, waarbij zijn gezicht vertrok achter zijn baard. 'Vijf keer ben ik te voet naar die rotplek toe geweest en heb ik met die spullen heen en weer gesleept en ik heb het verdomme niet kunnen vinden.'

Ik vroeg hem wat het was dat hij niet had kunnen vinden maar ik kon geen zinnig woord uit hem krijgen. Hij stond daar maar te snikken en met zijn hoofd te schudden, midden in zijn overhoopgehaalde appartement, alsof het drama nog veel erger was geworden dan dat wat hij wel of niet kon vinden.

Toen schonk Bob twee enorme glazen in en duwde er een in mijn handen.

'Vooral blijven drinken,' zei hij. 'Vooral blijven drinken', en ik wilde niet, maar Bob dronk het zijne in één teug leeg en schonk nog eens in.

Daarna staarde hij me aan met ogen die helemaal glazig waren en zei: 'Je lijkt in niks op je vader', en ik vroeg wat hij daarmee wilde zeggen.

'Pete was mijn beste vriend en ik hield van hem, maar hij was een slecht mens,' zei Bob, en dat hing daar tussen ons in, dat 'slecht mens', en geen van ons beiden vond het prettig dat hij het gezegd had, ook al hadden we alle twee zo onze redenen om te vinden dat het waar was.

'Ga je me nog vertellen waar je naar hebt lopen zoeken?' vroeg ik.

Bob zei dat hij me helemaal niks wilde vertellen. Hij zei: 'Ik vond het vreselijk dat ik het al die tijd wist.'

'Weet je waar hij is?' vroeg ik. Dat zou ik het allerergste vinden: als hij al die tijd had geweten waar mijn vader was en het me nooit had verteld.

'Godallemachtig, nee!' zei Bob. 'Dacht je dat ik dat voor je verborgen had kunnen houden?'

'Geen idee, Bob,' zei ik en langzamerhand begon ik pissig te worden. 'Wat houd je voor me verborgen?'

Bob keek een tijdje dwars door me heen. Hij dronk zijn glas weer leeg en schonk nog eens in. Toen zei hij: 'Ik weet iets over je vader. Iets wat hij gedaan heeft.'

'Iets wat hij gedaan heeft?' zei ik hem na als een papegaai. Ik heb er een hekel aan als mensen dat doen.

'Ja,' zei Bob. 'We hebben er ruzie om gehad.'

'Wat heeft hij gedaan?' vroeg ik.

'Het ging om Violet.'

Ik dacht dat ik moest overgeven.

'Violet?'

Bob knikte. 'Violet Park. De vrouw in de urn die je hier zonder te vragen had verstopt.'

Ik zei dat het me speet. Bob keek me aan en zei: 'En was zij het nou echt, in die urn?'

'Ja,' zei ik en toen moest ik het weten. 'Was ze dood of levend toen jullie ruzie om haar hadden?'

'Ze was al drie dagen dood,' zei Bob. 'Je vader heeft haar gevonden.'

De huid op mijn arm begon te prikken. Mijn maag kwam omhoog en viel toen weer naar beneden. Mijn vader had haar gevonden. Dat betekende min of meer dat hij zich op de plek van de misdaad had bevonden.

'Heeft haar gevonden? Hoe?'

Bob haalde zijn schouders op. 'Thuis. Dood in haar huis.'

'Jezus!' zei ik. 'Hoe is Violet gestorven? Van ouderdom?'

Bob keek alsof hij aan de rand van een ravijn stond, op het punt om te springen.

'Aan een overdosis,' zei hij, naar de vloer kijkend.

Ik weet niet precies wat er met je gebeurt als je een stoot adrenaline door je heen krijgt. Je hart gaat vanbinnen tekeer, zoveel weet ik wel, en je krijgt een gevoel alsof al het bloed uit je hele lichaam wegtrekt, bijvoorbeeld uit je hersenen en je ogen en je vingers.

'Dus ze heeft zelfmoord gepleegd?' zei ik.

Bob haalde zijn schouders op. Toen schudde hij zijn hoofd. Hij keek me nog steeds niet aan.

'Het punt is,' zei hij, met een door tranen verstikte stem, 'dat je vader tegen me heeft gelogen.'

'Hoezo gelogen?' vroeg ik. 'Waarover?'

'Hij zei dat hij thuis was om op jou te passen. Je had de waterpokken. Maar Nicky was woest omdat hij niet was komen opdagen, ze had hem niet gezien en...'

'Ik weet nog dat ik de waterpokken had,' zei ik.

Ik weet nog dat mam er bakpoeder op deed tegen de jeuk en dat ik nog zweertjes had toen ik erachter kwam dat ik geen vader meer had.

'Hoe weet jij dat?' vroeg ik. 'Hoe weet jij dat pap erbij was? Hoe weet je dat hij niet op mij paste?'

'Ach, kom nou, Lucas,' zei Bob en ik wist waar hij op doelde. Mijn vader lette nooit langer dan vijf minuten op me als ik ziek was. Iedereen die hem kende zou weten dat het een rotsmoes was. Ik had een aantal dingen kunnen zeggen, maar deed het niet.

Bob zei: 'Violet Park heeft haar testament veranderd en alles aan je vader nagelaten.'

'Wist hij dat?' vroeg ik. 'Misschien wel niet.'

'Hij wist ervan,' zei Bob. 'We hebben het erover gehad. Hij heeft het me verteld.'

'En wat zei hij?' vroeg ik.

'Als het oudje de pijp uit gaat ben ik schatrijk,' zei Bob en hij staarde me doordringend aan.

Ik deed mijn ogen dicht en probeerde na te denken.

'Heb je hem ervan beschuldigd dat hij haar heeft vermoord?' vroeg ik, nogal verbaasd over Bobs lef.

'Lucas, ik heb Violet gezien op de dag dat ze stierf en ze was gelúkkig.'

'Nou en?' zei ik. 'Misschien was ze gelukkig omdat ze had besloten om die dag te sterven.'

Bob staarde me aan. 'Dat is precies wat je vader zei.'

Ik keek naar de weerspiegeling van de kamer in het raam. Ik volgde het patroon van het vloerkleed. Ik wilde helemaal niet naar Bob kijken. Stel dat hij mijn vader niet had beschuldigd, stel dat hij zijn mond had dichtgehouden? Zou mijn vader dan nog hier zijn?

'Ik kende Violet,' zei hij. 'Ze zou zichzelf niet ombrengen. Ze hield van het leven.'

176

'Ik kende pap,' zei ik terug. 'Hij zou niet weglopen. Hij hield van ons.'

Daar had Bob niets op te zeggen.

En toen ik uiteindelijk naar hem keek, was hij diep in slaap, ladderzat.

Terwijl hij sliep, bleef ik zitten waar ik zat. Ik voerde niet veel uit.

Ik zat in de rotzooi en dacht na.

Natuurlijk wist ik van het bandje dat Violet dood had gewild. Bob baseerde zich op nog niet eens de helft van het hele verhaal en ik moest het hem vertellen. Maar eerst ging ik bij mezelf na of ik dat wel wilde. Ik was zo kwaad op hem dat hij het bij het verkeerde eind had gehad, dat hij er misschien de schuld van was dat pap was vertrokken. Het hem niet vertellen leek een gepaste straf, maar niet voor lang.

Ik wist dat het niet echt Bobs schuld was.

Ik wist dat mijn vader geen goed mens was.

De gedachte had al een tijdje door mijn hoofd gespeeld, maar ik had hem verdrongen.

Ik voelde me rot dat ik het dacht.

Maar ik had echt geen keus.

Dat doe je blijkbaar als je volwassen wordt: dingen onder ogen zien die je liever niet zou zien en het feit accepteren dat niemand degene is die je dacht dat hij of zij was, misschien zelfs in de verste verte niet.

Mijn vader was absoluut niet degene die ik al die jaren had gedacht dat hij was.

Het kwam niet door iets wat Bob of Jed of Norman of

mam over hem had gezegd. Het ging niet eens om Violet.

Alle twijfels en slechte gedachten kwamen bij mij vandaan.

De stem in mijn hoofd was mijn stem, dus ik kon er niet omheen.

En die stem zei dat ik het al die tijd had geweten. De stem vertelde dat ik alle bewijzen in handen had.

Misschien had hij Violet gedood en misschien ook niet. Ik wist het niet.

En dat is het punt waar het om draait.

Het bewijs dat ik had was precies de reden dat ik niets met zekerheid over hem kon zeggen, de reden dat hij was ontsnapt aan alle kritiek en beschuldigingen die mam van mij de afgelopen vijf jaar had moeten doorstaan, de reden dat ik hem op een of ander voetstuk voor heiligen en onaanraakbaren had gezet.

Dat hij er niet was.

En terwijl ik niet alle hoop had opgegeven dat hij was omgekomen bij een vreemd ongeluk of door marsmannetjes was ontvoerd of bij vergissing in een gekkenhuis zat opgesloten of in een ziekenhuis probeerde zijn laatste restje geheugen terug te krijgen, was ik ook gaan beseffen dat het veel meer voor de hand lag dat mijn vader gewoon was weggelopen omdat hij daar zin in had. Violet of geen Violet, hij had geen reet zin meer in ons. Hij had er genoeg van. En het was hem nog gelukt ook.

Dus ja, mijn vader was cool en slim en grappig en knap om te zien, hij had een perfecte smaak en ziet er op foto's goed uit, maar daar koop je niks voor.

En ik was kwaad op mezelf dat het zo lang had geduurd

voor ik het zag. Ik dacht eraan hoe moeilijk het geweest moest zijn voor mam en voor Bob om hun mond te houden terwijl ik hem in een held veranderde, hoe dikwijls ze met hun kop tegen de muur moeten hebben gebonkt terwijl ik rondliep in zijn pakken, naar zijn muziek luisterde en hem de hemel in prees.

Ik deed het alleen maar omdat ik van hem hield.

En ik dacht: is Violet hiervoor teruggekomen, om me dit te laten zien?

Had ze in het vagevuur gewacht om me erop te wijzen hoe mijn vader werkelijk was?

En wat zegt het over mijn vader als zijn beste vriend hem in staat achtte tot moord?

Niet veel.

Op het laatst maakte ik Bob wakker en begon te vertellen:

'Ik heb Violet gevonden in een taxicentrale. Toen ik haar vond, wist ik niet dat ze iets met pap te maken had,' zei ik. 'Ik wilde haar alleen maar naar een betere plek brengen. Ze stond daar niet goed. En toen leek iedereen te weten wie ze was, jij en Norman en Jed en de tandarts. En ze dook overal op, alsof ze mijn aandacht wilde trekken, me iets probeerde te vertellen, en ik wist niet wat. En toen vond ik een bandje met haar naam erop, dus dat heb ik achtergehouden. Het is niet naar de vuilnisbelt gegaan.'

Op dat moment keek Bob me aan.

'Er staat een gesprek op tussen Violet en pap,' zei ik. 'Ze heeft het hem gevraagd, Bob. Aan het eind van het bandje zegt ze: "Ik vraag jou mij te helpen sterven."'

Hij verstopte zijn gezicht in zijn handen en huilde toen ik dat vertelde.

Maar ik wist totaal niet wat ik ermee aan moest.

Ik wist niet wat ik moest denken of wat ik moest voelen.

Was alles nu beter of erger geworden?

ZEVENENTWINTIG

Als ik een echte ouderwetse detective was geweest, of als ik nog steeds mijn hoe-word-ik-een-privédetective-doos had gehad, zou ik Violets urn hebben onderzocht op vingerafdrukken. Er zaten acht stel afdrukken op, omdat acht mensen haar na haar dood hadden vastgehad:

- Ik
- Martha
- Phlox (waarschijnlijk om af te stoffen)
- Norman (misschien om te kijken of het Phlox was)
- Meneer Soprano van de taxicentrale
- Jawad Saddaoui, de bouwkundig ingenieur uit Marokko in wiens taxi Violet was achtergelaten
- Meneer Francis Macauley van het crematorium in Golders Green
- Pete Swain, vermist journalist, euthanasiehulp en mijn vader.

Hij had tenminste het fatsoen gehad om haar begrafenis te regelen. Als je dat regelen kon noemen, want Bob en hij waren daar de enigen.

Bob zei dat ze het lichaam naar Golders Green waren gevolgd en zich daarna hadden laten vollopen in een café om de hoek.

Mijn vader had de dag na de ruzie met Bob haar as opgehaald. Bij het crematorium hadden ze er een aantekening van dat ze was opgehaald. Dat heb ik gecontroleerd.

Dus heeft mijn vader haar as achter in een taxi laten liggen en is verdwenen, waarbij hij zowel haar als zijn vrouw, zijn ouders, zijn dochter en twee zoons (een nog niet geboren) en zijn beste vriend in de steek liet.

Ik ben tot de slotsom gekomen dat je het op twee manieren kunt bekijken:

1. Violet vroeg mijn vader om haar te helpen sterven en heeft daarmee iets vreselijks van hem gevraagd. Hij zei nee, maar ze overtuigde hem ervan dat ze dat wilde en dat ze het anders zonder hem alleen zou moeten doen. Hij hielp haar omdat hij om haar gaf, maar de spanning is hem te veel geworden. Toen werd hij door zijn beste vriend van moord beschuldigd en besefte hij dat niemand hem zou geloven en dat hij in de gevangenis terecht kon komen omdat hij haar geholpen had. Toen stortte hij in en wilde ervandoor, weg van alles, weg van ons. Je las wel over mensen die het om minder deden.

   Met andere woorden, hij was een goede mens die een moedige en altruïstische daad heeft gepleegd maar de gevolgen niet aankon.

2. Violet helpen sterven was zijn paspoort naar de vrijheid – help een oude dame in ruil voor een nieuw leven. Mijn vader deed het niet voor Violet, hij gaf

eigenlijk geen barst om haar. Hij deed het voor wat zij hem in het vooruitzicht stelde (genoeg geld om een nieuwe identiteit aan te nemen) en zijn geweten zat nergens mee.

Dat maakt hem tot een ongevoelige borderlinepsychopaat die alleen uit was op eigenbelang.

Ik kan niet kiezen, ook niet voor alles daartussenin, en uiteindelijk maakt het volgens mij sowieso niks uit.

Hij heeft gedaan wat hij heeft gedaan. Zij heeft gekregen wat ze wilde. Hij vertrok.

Dat zijn de dingen die tellen.

—

ACHTENTWINTIG

Violet wachtte me op toen ik terugkwam van Bob. Het was een uur of vier 's nachts en ik deed de deur van het slot en maakte niet al te veel lawaai op de trap, vond zelfs mijn ademhaling te hard klinken, deed mijn slaapkamerdeur achter me op slot en haalde haar onder het bed vandaan. Haar urn was heel mooi. De tekening in het hout was fijntjes en duidelijk, het glanzende oppervlak voelde glad en gaaf aan. Had mijn vader hetzelfde gedacht toen hij hem uitkoos? Of was hij voor het goedkoopste in de folder gegaan en had hij helemaal niet op de glans gelet?

Ik zat samen met haar op de vloer toen de vogels wakker werden, de hemel watergrijs kleurde en de mensen in hun auto's stapten en probeerden die te starten.

Violet had niet voor niets vijf jaar in die urn gezeten. In het begin had ik me afgevraagd waarom ze mij had uitgekozen om haar te helpen, wat ze van me wilde. Ik had nagedacht over haar begrafenis, haar testament, het vinden van een goede rustplaats voor haar. Ik had gedacht dat ze wilde dat ik iets voor haar oploste. Ik wist niet dat ze iets voor mij deed. Geen moment was het bij me opgekomen dat ze mij naar mijn vader zou leiden.

Ik vond het jammer dat ze had besloten dat ze niet meer wilde leven.

Ik omhelsde haar in haar prachtige, koele houten omhulsel en wilde dat ik de mogelijkheid had gehad haar te leren kennen toen ze nog leefde.

We strooiden haar as in de Theems. Ik wist nog wat ze op het bandje had gezegd: dat wanneer ze heimwee had ze zich verbeeldde dat het water helemaal terug naar huis stroomde, en ik bedacht dat ze op die manier terug naar huis kon gaan als ze daar zin in had, of waar dan ook naartoe als ze dat niet wilde. De wind blies het merendeel terug in het gezicht van Martha, Bob en mij. We namen een taxi naar Westminster Bridge en zaten achter een bus vol bouwvakkers. Al hun helmen lagen op de hoedenplank en zagen eruit als eieren in een nest die over elkaar heen tuimelden bij het nemen van een verkeersdrempel.

Onderweg terug naar huis voelde ik me triest, moe en leeg, alsof ze net gestorven was. De urn was zo anders nu ze er niet meer in zat.

Ik hoop dat ze is terechtgekomen waar ze wilde zijn. Ik hoop dat ze heeft gevonden waarvoor ze was teruggekomen.

Ik hoop dat het haar iets heeft opgeleverd de nacht dat ik als een gek die taxicentrale binnen kwam struinen.

En ik denk dat ik het daarom aan iemand wilde vertellen, en ik het op moest schrijven.

Ik wilde iets toevoegen aan wat ze heeft achtergelaten: een handjevol films, een portret, een vel contactafdrukken en een cassettebandje.

Violet heeft mijn leven veranderd en ik wilde niet dat het hare in vergetelheid zou raken.

NEGENENTWINTIG

Bob zei laatst iets tegen me.

Hij zei dat als pap het voor het geld had gedaan, ik troost kon putten uit het feit dat ze hem uiteindelijk toch niet alles heeft nagelaten.

Ik vroeg: 'Wat bedoel je?' of 'Hoe weet jij dat?' of zoiets en ik dacht aan het portret dat ze aan de tandarts had nagelaten, want dat had in haar testament gestaan.

En Bob zei dat hij ongeveer een maand na haar dood een lang en klef IN MEMORIAM had gelezen van een muziekbibliothecaris, verbonden aan de Universiteit van York. Daarin stond dat Violet een zoon had die al haar onroerend goed had geërfd, met inbegrip van huizen in Australië, Nieuw-Zeeland, Londen en de VS.

'Ze had geen zoon,' zei ik.

'Wel degelijk' zei Bob. 'En ik weet zijn naam nog omdat die zo apart was. Orlando.'

Ik werd misselijk van woede en opwinding, omdat Violet Orlando Park had verzonnen. Dat wist ik van het bandje en mijn vader wist dat ook.

Ineens, na al die tijd dat ik van hem had gehouden en de leegte had gekoesterd die hij had achtergelaten, na alle pogingen die ik had ondernomen om zonder hem op te groeien, wist ik waar hij was.

En ik wist dat hij niet dood was, de schoft.

Hij was schat- en schatrijk, hoe rijk dat ook moge zijn, en leefde onder een blauwe hemel van Violets geld.

Ik ging naar mijn kamer en sloeg een gat in de muur, maar ik huilde niet.

Ik voelde me vreemd blij. Boos blij.

En ik heb iets gedaan wat ik aan niemand heb verteld: niet aan Bob, niet aan Martha en al helemaal niet aan mijn moeder. Ik kan niet nagaan of dit het begin of het eind van iets is en ik doe mijn best om daar niet al te veel over na te denken. Ik heb het gedaan en nu wacht ik af wat er gebeurt voor ik iemand iets vertel.

Ik heb een pakje opgestuurd naar Orlando Park op Violet Farm, Turungakuma, South Island, Nieuw-Zeeland. Ik heb hem gevonden op internet. Hij was daar de eerste keer al, toen ik naar Violet zocht. Toen heb ik finaal over hem heen gekeken.

Ik heb hem Violets lege urn gestuurd, de urn die hij van het crematorium had opgehaald en achter in een taxi had laten liggen.

En ik heb er een briefje op geplakt, aan de andere kant van Violets naam.

Daarop stond:

PETE SWAIN

1958-2002

RIP

Wie weet of ik wat terug hoor? Het lijkt me niet waarschijnlijk.

Dankzij Violet is dat een stuk minder belangrijk geworden.